KB096725

명언 읽어 주는 남자

명언 읽어 주는 남자

발　행 | 2024년 07월 15일
저　자 | 오영훈
펴낸이 | 한건희
펴낸곳 | 주식회사 부크크
출판사등록 | 2014.07.15.(제2014-16호)
주　소 | 서울특별시 금천구 가산디지털1로 119 SK트윈타워 A동 305호
전　화 | 1670-8316
이메일 | info@bookk.co.kr
ISBN | 979-11-410-9434-8

www.bookk.co.kr

당신의 인생을 바꿀 가슴 뛰는 명문장 100선 해설

명언 읽어 주는 남자

오영훈 지음

목 차

머리말

CHAPER 1 지혜

CHAPER 2 역경

CHAPER 3 행동

CHAPER 4 인생

CHAPER 5 성공

CHAPER 6 처세

CHAPER 7 관계 · 행복

머리말

명언에는 힘이 있습니다. 평소 무심하게 지나쳤던 한 줄 명언이 어느 날 문득 정수리를 쪼개고 가슴을 내려칠 때가 있습니다. 시대를 대변하는 위인들의 세상의 본질을 꿰뚫는 명언은 우리 안에 엄청난 힘으로 밀고 들어와 작동합니다. 그들의 파란만장한 인생이 고스란히 농축되어 있기 때문입니다. 지난한 역사의 풍설을 견디어내고 지금까지 살아남았기에 더욱 그렇습니다. 그렇기 때문에 그런 명언을 모은 명언집만큼 도움이 되는 책은 없습니다. 몇백 권 아니 몇천 권의 책 속에 들어있는 정수를 집약하고 있기 때문입니다.

그러나 아쉬운 점은 그동안 명언집이라고 하면 대개 한 줄 명언을 소개하는 데에 그치는 경우가 많았습니다. 간혹 해석하는 경우도 각 명언의 탄생에 얽힌 시대적, 사회적, 개인적인 환경 등에 대한 이해가 충분하지 않은 채로 제각기 다른 시선으로 보기 일쑤였습니다. 이에 필자는 가능한 한 그들의 인생을 살펴보고, 명언이 실린 작품이나 명언 전후의 전문을 찾아보면서, 명언에 얽힌 에피소드나 배경 등을 알아보았습니다. 그러한 과정을 거치는 동안 위인들의 남다른 삶이 때때로 깊은 감동을 주기도 하였고, 무릎을 '탁' 치는, 시대를 관통하는 인간의 본성에 대한 깨우침도 있었습니다. 이전에는 느끼지 못했던 명언의 의미가 깊고

진하게 전해졌고, 불확실한 시대를 살아가는 지혜를 얻을 수 있었으며, 덤으로 고전에 가깝게 다가가는 기쁨도 함께 맛보았습니다.

본서는 2019년에 발간한 졸저 『명언, 거인의 어깨 위에 서다』의 제2탄으로 전편에서 소개하지 못한 명언과 그동안 새로 블로그에 게재한 명언을 중심으로 독자들의 클릭 수가 높거나 필자에게 정신적 지주가 되거나 위로해 준 명언 100개를 엄선해서 가필 수정한 것들입니다. 아울러 보다 쉽게 명언을 찾아볼 수 있도록 주제별로 7개 장으로 구분하여 편집하였습니다.

특히 본서를 집필하는 데 있어 세계적으로는 잘 알려져 있지만 우리나라에는 아직 소개가 안된 것들을 많이 담으려고 노력했습니다. 이 기회에 우리나라에도 널리 알려졌으면 좋겠습니다. 아울러 가능한 한 젊은 층이나 직장인들에게 도움이 되는 명언을 많이 담았습니다. 젊을수록 명언에 의한 인생 지침이 필요하기 때문입니다.

지금과 같이 한 치 앞을 내다볼 수 없는 VUCA시대 (4차 산업혁명 시대의 세계관으로 변동성(Volatility), 불확실성(Uncertainty), 복잡성(Complexity), 모호성(Ambiguity)의 앞 글자를 따서 만든 신조어)를 살고 있는 독자들이 명언을 통해 거인의 어깨 위에서 세상을 더 많이 더 멀리 바라보면서 지혜롭고 현명한 삶을 사시는데 본서가 일조가 되었으면 좋겠습니다.

전편을 구독해 주신 독자분들께 지면으로 다시 한번 감사드리며 지난번에 이어서 지속적으로 명언을 읽고 댓글이나 공감으로 필자와 대화해 준 블로그 독자들께도 감사드립니다. 독자분들의 격려가 없었더라면 초간으로 그쳤을 겁니다. 아울러 지난번에 이어서 본서의 초고 작업부터 발간에 이르기까지 꼼꼼히 교정은 물론 윤필까지 돌보아 준 아내에게 무한한 감사를 표하는 바입니다.

2024. 7

개포동에서

오영훈

CHAPTER 1

지혜

1. 책은 문명을 날라다 주는 사람이다 책이 없으면 역사는 아무 것도 말하지 않을 것이며 문학은 침묵하고 과학은 무능하게 되어 사상과 사색은 그 자리에 멈춰선 채로 있을 것이다

- 바바라 터크먼 -

바라라 터크먼은 미국의 여류작가이자 역사가로 동유럽 유대계 출신이다. 미국 유대인 위원회 의장을 지낸 銀行家의 딸로 태어난 그녀는 중세에서 현대에 이르기까지 광범위한 역사상의 테마를 생생한 필체로 다

루어 퓰리처상을 두 번이나 수상했다. 특히 사라예보 사건 전후에 각국의 정부 군부의 행적을 추적하여 제1차 세계대전을 발발하는 전 과정을 그린 『8월의 포성』(The Guns of August)은 그녀의 출세작으로 케네디 대통령이 쿠바 위기 시에 座右書로 삼은 것으로 유명하다.

흔히 우리나라 역사를 '반만년의 유구한 역사'라고 말하는데 이 말은 단군신화에 실려 있는 대로 고조선의 건국연대인 기원전 2333년을 말한다. 우리 기원인 고조선 건국년도가 중국의 요(堯)와 같은 시대라고 하는데 중국은 5000년 동안 수많은 왕조가 흥망을 반복해 왔다.

유럽인들은 어떤가? 그들도 그리스 로마의 유구한 역사와 문명을 자랑하고 있지 않은가. 그런 역사의 기록을 책으로 담지 않으면 우리는 아무 것도 계승하지 못하였을 것이다

책의 기원은 죽간(竹簡)과 목독(木牘)을 체계 있게 편철하여 사용하였던 책(策)이라 보는 것이 학계의 정설이라 한다. 죽간은 대를 켜서 불에 쬐어 대땀 [汗簡] 을 빼고 퍼런 껍질을 긁어내어 [殺靑] 글씨 쓰기를 쉽게 한 댓조각을 말하며, 목독은 나무를 켜서 넓고 큰 판을 만들어 말려 표면을 곱게 하여 글씨 쓰기 쉽게 한 나뭇조각을 말한다. 오늘날 통용되고 있는 책(冊)이란 글자가 바로 이와 같이 엮어진 책(策)의 형태를 보고 만든 상형문자(象形文字)인 점에서도 책의 기원이 고대의 책(策)에서 비롯하였음을 알 수 있다.[1)]

중세 유럽에서는 구텐베르그에 의한 인쇄술이 발명되기 전까지 책은 곧 성경의 의미하는 신의 시대, 중세 수도승의 필사본이 책의 역사를 대신해 왔다. 필사 수도승 moine copiste이 글씨를 쓰고 채색가

---

1) [네이버 지식백과] 책 [冊] (한국민족문화대백과, 한국학중앙연구원)

enlumineur가 그림을 그리면 제본을 담당하는 리가토르 ligator가 정성을 기울여 그야말로 한 땀 한 땀 이어서 한 권의 성서가 완성되었다. 마치 신에게 바치는 귀중한 보물처럼 여겨지는 것이 중세의 책이다.

원래 강의의 영어표현인 lecture가 중세 라틴어 lectura에서 나온 말로 '읽다'의 의미를 갖는데 구텐베르크 이전 유럽에서 책값은 무척 비쌌기 때문에 강의는 곧 선생이 책을 읽어주면 학생들은 받아쓰는 게 전부였기 때문에 거기에서 유래했다.

필사본의 극치는 생갈렌 수도원 도서관에 가보면 잘 느낄 수 있다. 세계에서 가장 오래되고 아름답고 유려하고 심오한 후기 바로크 양식의 생갈렌 수도원 도서관에는 17만 권의 고서가 소장되어 있는데 이 중 2,100여 권은 10세기 이전에 제작한 필사본이다. 도서관 입구에는 라틴어로 '영혼을 치유하는 곳'이라고 써 있는 이 도서관은 유네스코 문화유산으로도 등재되어 있다.

바바라 터크먼 말대로 그러한 숭고한 작업을 통해 완성한 책으로 인해 오늘날의 문명을 누리고 있다는 생각이다.

2. 당신의 마음이 옳다고 생각하는 일을 하세요 어느 쪽으로 택하더라도 비판받을 터이니까요

-엘리너 루스벨트-

안나 엘리너 루스벨트은 미국 제32대 대통령인 프랭클린 D. 루스벨트의 부인이다. 그녀는 처음부터 부와 특권을 가지고 있었지만 용모는 지극히 평범했다. 자신의 개인적 권리에서 두드러진 대중적 인물이 된 그녀는 미국 역사에서 가장 활동적인 영부인들 중의 하나로 알려졌다. 1993년에 37명의 퍼스트레이디를 평가했는데 1위에 올라 미국인들이 가장 호감을 갖는 퍼스트레이디에 등극했다. 첫인상을 사람들이 다들 좋아한 여인. 그녀의 표정은 항상 매우 밝다. 그 밝은 표정으로 주위 사람들을 즐겁게 해 준다. 그녀가 열 살 때 고아가 됐다는 것을 아는 사람은 거의 없다. 한 끼 식사를 위해 혹독한 노동을 해야 했던 어린 시절 소녀는 돈을 땀과 눈물 조각이라고 불렀다. 이 소녀에게는 남들이 갖지 못한 자산이 하나 있었는데 그것은 바로 낙관적인 인생관으로 어떠한 상황에도 비관적인 언어를 사용하지 않았다. 엄마가 되어 여섯 아이 중 한 아이가 숨을 거두었을 때에도 '아직 내가 사랑할 수 있는 아이가 다섯이나 있는 걸'이라고 말했다.

한창 정치활동을 왕성하게 하던 루즈벨트는 39세에 갑자기 소아마비를 앓아 보행이 곤란해져 다리에 쇠붙이에 고정하고 휠체어를 하고 다녔다. 절망에 빠진 그가 방에서만 지내는 것을 지켜보던 엘리너는 비가 그치고 맑게 갠 어느 날 남편의 휠체어를 밀며 정원으로 산책하러 나갔다.

“비가 온 뒤에는 반드시 이렇게 맑은 날이 옵니다. 당신도 마찬가지예요.” 아내의 말에 루즈벨트가 대답했다.

''하지만 나는 영원한 장애인이요. 그래도 나를 사랑하겠소?''

''아니 여보 내가 당신의 두 다리만 사랑했나요''

이 재치 있는 말에 루즈벨트는 용기를 얻었다. 장애인의 몸으로 대통령이 되어 경제공황을 뉴딜정책으로 극복했고 제2차 세계대전을 승리로 이끌었다. 아내의 말 한마디가 남편의 인생을 결정한 것이다.[2)]

그런 그녀가 말한 이 명언에 무척 공감이 간다.

세상 여러 가지 생각의 사람이 있기 때문에 무엇을 하든지 아무것도 하지 않든지 간에 비판받을 것이며, 세상에는 비판을 원하기만 하는 사람도 있어서, 그런 사람은 어떤 때라도 비판한다. 어떻게 하든 비판받는다면 다른 사람의 눈치를 보면서 자신의 마음에도 없는 언동을 할 바에야

---

2) [출처] 박시호의 행복편지

자신이 "올바르다"고 믿어지는 길을 선택하는 편이 나중을 생각하더라도 오히려 건설적이다. 자신이 "올바르다"고 믿는 것에 대해서 반대에 부딪치더라도 정면으로 의견을 제시하고 진지하게 논의를 거듭하고 쌍방이 납득할 수 있는 점을 찾을 수 있지만, 반대로, 자신의 확실한 본의가 없는 의견에 대해 비판받았을 때는 쉽게 무너지기 마련이다. 또한 자신이 "올바르다"고 믿는 것이라면 그냥 비판하는 비평가의 "알맹이 없는 비판"에 대해서도 인내력을 잃지 않는다. 그러한 사람은 몇 번이나 비판을 반복하기 때문에 처음에는 너무 힘들지도 모르지만, 점점 시간이 경과하면 "아, 어떻게 하든 이 사람은 비판하는구나"라고 체념이 붙어 걱정할 가치조차 없다고 생각하게 된다. (단, 불행히도 그것을 파악하기 위해 여러 번 비판을 견딜 필요가 있다)

물론 자신이 분명 잘못되었다는 경우도 종종 있을 수 있으므로 의견을 내세우기 전에 한 번 자신의 의견을 비판적으로 검토해볼 필요는 있다. 또한 비판받고 "역시 내가 잘못했어"라고 생각한다면 바로 잡을 용기도 필요하다. 어쨌든 이 세상에는 여러 의견을 가진 사람이 있기 때문에 자신 안에서 신중을 거듭하더라도 만 명이 납득할 수 있는 의견을 만들어 내는 것은 그렇게 쉬운 일이 아니다. 때로는 의견을 관철하고, 더 나은 방안을 찾거나 자신의 의견을 철회하거나 열매 없는 비판을 회피하거나 등등. 비판받고 그에 상응하는 조치를 취할 수 있게 하기 위해 자신이 "올바른“ 생각을 하도록 유의해야 할 것이다.

3. 실패하는 사람은 두 종류가 있다. 생각했지만 실천하지 않은 사람 실천했지만 생각하지 않은 사람이다

- 로렌스 피터 -

로렌스 피터의 저서 『직업적인 무능함은 도처에 존재한다』는 1969년에 출간돼 베스트셀러가 되었다. 내용은 '무능한 사람들이 곳곳에 존재하는 이유'를 설명하려는 시도이다. 피터가 보기에 대부분의 사람들은 기존의 업무 성과를 바탕으로 승진한다. 하지만 그 과정에서 더 큰 책임을 짊어질 능력은 고려되지 않는다. 그러다 보니 과거보다 일 처리 능력이 떨어지는 상황이 나오곤 했다. 이렇게 승진을 거듭하면, 더 이상 승진을 기대할 수 없을 정도로 업무능력이 떨어지는 상황까지 도달하게 된다. 한계에 다다르고 더 이상 개선이 불가능한, 즉 고객이나 동료들을 짜증스럽게 만드는 존재가 되는 것이다. 피터는 이를 "모든 직원은 무능함이 극에 달하는 수준까지 도달하곤 한다."는 설명과 함께, '피터의 법칙'이라 불렀다. 능력주의 계급사회에서는 인간은 자기 능력의 극한까지 출세한다고 하면서 결국 무능한 사원은 그대로 평사원으로 유능한 사원은 무능한 중간관리직까지 올라가기 때문에 전 조직이 무능한 사람들로 가득 찬다고 하는 '피터의 법칙'을 역설한 로렌스 피터. 그는 실패하는 사람에 대해서 2가지 부류가 있다고 강조한다.

첫째는 생각은 했지만 행동에 옮기지 않은 사람이다. 움직이지 않았기에 실패라고 할 것도 없는 경우이다. 이런 사람은 타인의 성공에 대해서는 "그건 나도 하려고 했는데 나름대로 이유가 있어서야" (나만의 이유), "그 사람이 성공할 만한 이유가 있어서야 " (그 사람만의 이유) 하고 해석만 하고 결코 움직이려고 들지 않는다. 결국 이런 사람은 아무것도 하지 않는다. 아무것도 하지 않기 때문에 확실하게 아무 일도 일어나지 않는다. 그야말로 인생에 있어서의 大실패이자 인생의 낭비다.

둘째는 실천은 했지만 그 원인과 이유에 대해서는 깊이 생각해 보지 않았던 경우다. 아니 생각하고 싶어 하지 않는다는 식으로 표현하는 것이 더 맞을 거다. 이 경우는 실패의 의미가 전혀 없다. 실패는 성공을 위해 생각해 볼 절호의 찬스임에도 말이다.

피터의 결론은 생각하고 행동하는 것 중에 어느 하나라도 부족하면 성장은 없다는 것이다. 생각하고 행동에 옮긴 끝에 설령 결과가 좋지 않더라도 반드시 성공으로 이어지므로 이 경우는 실패라고 하지 않는다. 그러므로 실패에 대한 긍정적 해석이 필요하다.

4. 인생을 발견하기 위해서는 인생을 낭비해야 한다

- 앤 모로우 린드버그 -

대서양 단독 무착륙 비행에 처음으로 성공한 찰스 린드버그의 아내이자 그 자신도 비행사로 활동하여 훌륭한 기행 수필을 남긴 앤 모로우 린드버그의 명언이다. 그녀의 에세이는 부드러운 빛을 발하는 보석 같은 문장으로 가득 차 있으며, 이 문장도 그 중 하나다. 우리는 '낭비'라는 단어에 대해 매우 부정적인 이미지를 가지고 있다. 그러나 린드버그는 이 '낭비'가 자신의 삶을 찾기 위해 필요한 것이라고 말하고 있다.

당신은 당신이 그것을 시도하기 전에 당신이 무엇을 얻을지 모른다. 우리는 우리가 무엇에 열정을 쏟을지 미리 알 수 있는 선견지명이 없다. 칙센트 미하이가 지적하듯이 많은 사람들이 '열정을 쏟을 수 있는 것'을 찾지 못한 채 생을 마감하지만, 이것이 어려운 이유는 '몰두하는 것'은 아무리 생각해도 이해할 수 없고, 여러 가지 일을 한 후에야 비로소 육체적 감각으로 파악될 수 있기 때문이다.

결국, 당신은 그것을 시도하기 전까지는 당신이 무엇에 열정을 가지고 있는지 모른다. '삶'은 많은 시간과 노력의 낭비를 넘어서야 찾을 수 있다는 린드버그의 지적은 커리어 연구에서 뒷받침된다.

스탠퍼드 대학의 교육심리학 교수인 故 존 크럼볼츠는 이 문제에 대한 최초의 본격적인 연구를 수행했는데, 수백 명의 미국 사업가들을 대상으로 설문조사를 실시한 결과, 성공한 사람들의 경력 개발의 80%가 "우연"이었다는 것을 발견했다. 그렇다고 그들 중 80%가 경력 계획이 없었다는 것은 아니다. 그러나 당초의 커리어 계획대로 되지 않은 여러 가지 우연이 겹쳐져 결과적으로 세상으로부터 '성공한 사람'으로 인정받는 위치에 이르렀다.

크럼볼츠는 이 설문조사 결과를 토대로 "커리어는 우연히 만들어지기 때문에 중장기 목표를 세우고 열심히 일하는 것은 오히려 위험하다"며 '계획된 우연'이라고 하여 '좋은 우연의 일치'를 유도하는 계획과 습관에 노력을 기울여야 한다고 주장했다.

크럼볼츠에 따르면, 우리의 커리어는 잘 계획할 수 있는 것이 아니라 예상치 못한 우연적인 사건에 의해 결정된다. 그렇다면, 커리어 개발로 이어지는 '좋은 우연'을 만들기 위한 요건은 무엇일까? 크럼볼츠는 다음 5가지를 들고 있다.

호기심 = 자신의 전문 분야 이외에 다양한 분야에 대한 시야와 관심을 넓히면 커리어 기회가 늘어난다.

지속성 = 처음에는 일이 잘 풀리지 않아도 끈기가 우연한 사건이나 만남으로 이어지고, 새로운 전개 가능성이 높아진다.

유연성 = 상황은 끊임없이 변화한다. 한번 결정을 내렸더라도 상황에 따라 유연하게 대응하여 기회를 잡을 수 있다

낙관성 = 예상치 못한 이동과 역경을 성장의 기회로 긍정적으로 인식함으로써 경력을 넓힐 수 있다.

위험 감수 = 미지의 것에 도전하면 실패와 잘 안되는 일이 생기는 것은 당연하다. 기회는 적극적으로 위험을 감수함으로써 창출할 수 있다

앞서 언급한 린드버그의 지적에 크럼볼츠의 이 요소들을 겹쳐 보면, 진정으로 자신의 삶을 찾기 위해서는 언뜻 보기에 '시간 낭비'처럼 보이는 활동에 적극적으로 참여하는 것이 중요하다는 것을 분명히 알 수 있다. 특히 '인생 100세 시대'가 다가오면 일생에 몇 번이나 직업을 바꾸지 않으면 안 되는 사람도 많기 때문에, 다양한 시도를 한 후에 어떤 활동에 몰두할 수 있는지, 반대로 어떤 활동에 흥미를 가지고 있는지에 따라 인생의 풍요로움이 크게 달라진다는 것을 명심하자.

5. 이 세상에서 가장 어려운 일은 사람들로 하여금 새로운 아이디어를 수용하도록 하는 것이 아니라 과거의 아이디어를 잊도록 하는 것이다

- 존 메이너드 케인즈 -

미국의 경제학자 사상가, 투자가, 관료. 20세기 학문사에 있어 가장 중요한 인물 중 한 사람으로 알려져 있는데 21세기에 들어서도 두터운 신망을 받고 있다. 그는 "공급량이 수요량(투자 및 소비)에 의해 제약된다"는 유효수요의 개념을 착상하여 케인즈 서커스[3]를 이끌고 거시 경제

3) 케인즈가 주최한 젊은 학자집단으로 다수의 노벨상 수상자를 배출

학을 확립시켰다. 뉴딜 정책이라고 하면 우리는 흔히 루스벨트 대통령을 떠올리지만 실은 루스벨트 대통령은 케인즈의 이론을 실행한 것인데 어쨌든 뉴딜 정책의 성공은 그를 널리 세상에 알리게 된 계기가 되었으며 그 이후 전 세계의 경제정책에서 케인즈의 이론이 널리 사용되게 되었다.

이 명언의 배경은 당시는 불경기 대책으로써 국가가 막대한 공공투자를 실행하는 것은 상상할 수조차 없던 시대인데 '완전고용을 실현·유지하기 위해서는 자유방임주의가 아닌 소비와 투자, 즉 유효수요를 확보하기 위한 정부의 보완책(공공지출)이 필요하다'는 그의 주장을 아무도 받아들이지 않을 때 외친 말이라 한다. 어찌 되었든 당시의 관점에서 그의 이론을 과감하게 받아들여 실행에 옮긴 루스벨트 대통령은 과거의 생각을 폐기하고 새로운 이론을 실천에 옮겼다는 점에서 높이 살만하다.

새로운 아이디어가 나타나거나 새로운 것이 출현하더라도 쉽사리 받아들이지 못하는 이유는 지금까지의 고정관념을 버리지 못하기 때문이다. 새로운 것을 받아들이기 위해서는 기존에 알고 있던 것을 먼저 버려야 하는데 이를 비우는 과정을 폐기학습, 탈 학습 (unlearning)이라 한다. 사람은 경험이 반복되면 scheme (스키마; 사고의 틀)가 형성되는데 이는 순기능도 있지만 한번 굳어지면 틀에 맞는 정보는 채택하지만 합치되지 않는 정보는 거부하는 '선택적 지각'을 하게 된다. 그 결과 외부의 객관적 사실을 그대로 받아들이지 못하고 환경의 변화를 감지하지 못하고 새로운 현상이나 아이디어를 볼품없고 보잘것없는 것으로 치부하는 경향이 생기게 된다.

변화의 시대를 살아가기 위해서는 새것을 배우는 것에 그치지 말고 낡은 것을 버리는 폐기학습이 중요하며, 피터 드럭커도 항상 정기적으로 폐기학습을 해야 비로소 과거의 굴레에서 벗어날 수 있다고 주장한 것도 같은 맥락에서 나온 것이다.

케인즈가 '기술혁신은 불가피하게 실업으로 이어진다'[4]는 그의 예견이 이미 가시화되고, 직업의 47%가 컴퓨터로 대체될 수 있는 고위험군 (없어질 확률 70%이상)에 속한다는 미래 예측에도 자신만은 장래에도 괜찮을 것이라고 현재의 직업에만 안주하는 사람, 일 자체가 파편화되는 시대에 단순히 취업에만 집착하는 진로 교육, 지금과 같은 불확실성 시대에 직업을 맷칭시켜 이를 역산해서 계획을 세우는 진로 계획 등에서 벗어나지 못하는 것 또한 과거 선형적 시대의 스키마(scheme)에서 벗어나지 못하는 현상이라 할 수 있겠다.

당신은 지금 하고 있는 것 중에서 지금까지 해오던 것이기 때문에 맞다고 생각하고 계신 것은 없습니까?

---

4) 기술혁신으로 인해 기존일자리가 파괴되는 속도가 새로운 일자리에 노동자들이 배치되는 속도보다 앞섬으로서 발생되는 실업의 확대

6. 자신을 괴롭히는 상대방을 자신의 가장 안전한 장소로 이끌어 냈다 바로 카메라 앞으로

- 스티븐 스필버그 -

스티븐 스필버그는 원래 몸집이 작아 왕따를 많이 당했다. 하지만 아무리 왕따를 당해도 스필버그는 자신을 못났다고 자책하지 않고 오히려 '나를 괴롭히는 상대방을 때릴 수 없다면 차라리 내 편으로 만들자.'고 생각했다.

스티븐 스필버그가 13살 때의 일이다. 그때 스필버그는 자기보다 1살 더 먹은 덩치 큰 한 아이에게 자주 얻어맞았고 괴롭힘을 당하였다. 괴롭힘에서 벗어나는 방법을 강구하다가 그 아이에게 자신이 찍은 영화에 주인공으로 출연해 달라고 설득하기로 마음먹었다. 당시 스필버그는 아버지가 사 준 카메라로 12살 때부터 영화를 찍고 있었다. 그 아이는 승낙했고 스필버그는 그 아이가 괴롭히는 아이를 혼내주는 정의의 주역으로 캐스팅했다. 못살게 굴던 아이는 자신이 그런 아이를 혼내주는 주역으로 연기를 하다 보니 자연스레 폭력성도 없어지고 결국 둘은 친구가 되었다.

스티븐 스필버그는 훗날 그때의 경험을 자신의 영화에 담아냈고 그 아이는 <백 투 더 퓨처>라는 영화에서 소년 깡패의 모습으로 등장한다. 여기서 스필버그는 자신이 가장 잘하는 장소에서 자신이 가장 빛나는 기술을 사용하여 적을 친구로 만들었다.

또 하나는 자신을 따돌리는 아이가 자신과 다르다는 것을 인정하는 것이었다. 스필버그도 그 아이가 미웠지만 자기의 몸집이 작은 것처럼 그 아이는 덩치가 크고 성격이 거칠다는 사실을 있는 그대로 받아들인 것이다. 우리는 모두 다른 생각과 행동을 할 수 있다. 내가 생각하지 못하는 것을 다른 사람은 생각할 수 있고, 내가 하지 못하는 것을 다른 사람은 할 수 있는 것이다. 마찬가지로 다른 사람은 생각도 못하는 것을 나는 생각할 수 있고 행동으로 옮길 수 있는 것이다. 정말 영리한 사람은 나와 다른 사람을 미워하기보다는 다른 사람에게서 배울 점을 찾고 그를 포용할 줄 아는 사람이다.

7. 자신의 지성을 강화하는 유일한 방법은 아무것도 생각하지 않고 마음이 모든 생각에 대한 통행로가 되도록 하는 것입니다

- 존 키츠 -

존 키츠는 만 25살 짧은 일생과 단 4년 동안 활동했음에도 불구하고 영국의 낭만주의를 대표하는 2세대 낭만주의 시인 3명 중 한 명 (조지 고든 바이런, 퍼시 비시 셸리)이자 현대 문학 시에서 지대한 영향을 끼친 시인 중 한 명이다. 이 명언은 그의 친구 Dilke에게 보내는 편지에 나오는 내용이다

"모든 것에 대해 마음을 정하지 않으면 자신이 개인적인 정체성을 가지고 있다고 느낄 수 없는 사람입니다. 자신의 지성을 강화하는 유일한 방법은 아무것도 생각하지 않고 마음이 모든 생각에 대한 통행로가 되도록 하는 것입니다. ....Dilke는 그가 살아있는 한 진실에 도달하지 않을 것입니다. 그는 항상 그것을 시도하기 때문에"[5]

Keats는 창의성, 도덕성 및 지식에 도움이 되는 모든 생각과 인상에 대한 개방성을 칭찬한다. 확정된 결론보다 부분적인 통찰력. 이 정신적 수용력은 일반적으로 진정 감각을 즐기는 만족스러운 신체의 도움을 받는다. 이를 소극적 수용 능력 (Negative Capability)라고 하는데 이 말은 키츠가 우드 하우스에게 보낸 편지 내용에서 시인의 능력을 '소극적 수용 능력'이라고 하면서, 세익스피어가 이런 시인의 자질을 뛰어나게 갖고 있다고 하면서 처음 인용했다.

갑자기 떠 오른 생각인데 특히 문학 분야에서 커다란 업적을 형성하는 자질은 세익스피어가 엄청나게 갖고 있는 소극적 수용 능력이야. 조급하게 사실이나 이유를 찾으려 애쓰지 않고 불확실성, 신비, 의심 속에서 머물 수 있는 능력이지[6]

키츠는 시인을 두 가지 종류로 분류한다. 그 첫째는 워즈 워드처럼 자신을 내세워 창작하는 부류의 시인이다. 이러한 시인은 주관이 뚜렷하고 개성이 강하여 자신의 시에서도 이러한 개성과 주관이 분명히 드러난다. 이를 키츠는 "강한 개성이 드러난 숭고함"(egotistical sublime)이

5) Letters 2 : 213
6) Letters I : 193

라고 부른다.

또 다른 시인의 부류는 위에 든 시인과는 정반대의 특성을 가지고 있다. 그는 전혀 개성이 없다. 이런 성질을 가진 시인의 대표적인 예로 키츠는 셰익스피어를 꼽고 있으며, 자신도 그와 같은 시인의 특질을 갖고자 한다. 키츠는 이러한 시인의 능력을 <소극적 수용 능력>(Negative capability)이라고 부르고 특히 셰익스피어처럼 위대한 업적을 남긴 작가가 이러한 특성을 가지고 있다고 말한다. 키츠가 말하는 이 Negative capability는 그의 시론의 근본이며, 또한 그의 시를 이해하는 데 있어 가장 중요한 개념이다

키츠는 일반적으로 능력이라 하면 무언가를 끝까지 완수하는 능력을 의미하지만 여기서는 무언가를 처리해서 문제해결을 하는 능력이 아니라 오히려 그런 것을 하지 않는 능력을 칭찬하고 있다. 우리가 알고 있는 기존의 능력의 개념을 뒤집은 것이다. 논리와는 동떨어져서 어떤 식으로든 결정하지 않고, 애매모호한 상태를 피하지 않고 참아내는 능력이라는 것이다. 마음의 상상력의 활발한 활동이 필요한 문학에서는 논리적 분석력이나 이성적 분별력을 추구할 수 있는 능력보다도 세상의 불확실성이나 의혹을 있는 그대로 느끼고 받아들이면서 견디어 낼 수 있는 능력이 필요하다는 것이다.

세익스피어는 웬만한 작가라면 벌써 과감한 결론을 냈을 법한데도 스토리의 애매모호함을 끈질기게 참아가면서 끊임없이 첨가한 새로운 스토리로 인해 위대한 걸작을 만든 것이다. 소극적이라고 표현해 우유부단하다고 느낄 수 있지만 오히려 인간의 본능을 이겨내야 하는 점에서 무엇보다도 적극적인 삶의 태도라고 할 수 있다.

8. 지식보다 더 중요한 것은 상상력이다

- 아인슈타인 -

독일태생의 유대인 이론물리학자. 상대성 이론을 비롯, 수많은 업적을 남긴 20세기 최고의 물리학、현대 물리학의 아버지라 불리운다. 1921년 노벨상 수상하였고 시민으로서의 과학자의 역할을 확립한 인물로 타임지는 그를 '세기의 인물'로 선정하였다. 그의 사상은 과학을 근간으로 시작하여 철학 정책 종교 역사에 이르고 있다. 이 명언의 원래 원문은 다음과 같다.

[Viereck]"다른 사람들의 경험에 빛이 거의 없다면 과학 분야에서 갑작스런 도약을 어떻게 설명하시겠습니까? 자신의 발견을 직감이나 영감에 돌립니까?"

[아인슈타인]"저는 직감과 영감을 믿습니다. 나는 때때로 내가 옳다고 느낍니다.

(중략)

[Viereck]"그러면 지식보다 상상력을 더 신뢰합니까?"

[아인슈타인]"나는 내 상상력에 자유롭게 그릴 수 있는 예술가로 충분하다. **상상력이 지식보다 더 중요합니다.** 지식은 제한되어 있습니다. 상상력이 세상을 감싸고 있습니다."[7)]

100년 전의 아인슈타인의 통찰력이야말로 대단하였다. 사실 상상력이라 하면 레오나르도 다빈치를 빼놓을 수 없다. 3만 장에 이르는 방대한 메모 중에는 이미 하늘을 나는 기계 설계도가 있었다. 당시 비행기는 물론 존재하지 않았지만 다빈치의 머릿 속에는 이미 비행기가 그려져 있었던 것이다. 이게 상상력이다.

프랜시스 베이컨이 '지식은 힘이다'라고 말했듯 우리는 지식축적에 온 힘을 쏟아왔다. 교육의 목적이 무언가를 물으면 지식의 축적이라고 많은 사람들은 대답할 것이다. 그러나 지금까지 지식편중 사고방식은 4차 산업혁명이 도래하면서 그 중요성에 대한 평가가 새롭게 내려지고 있다. 지식의 양으로 승부하는 사람들이 속속 AI로 대체되고 있다. 단순한 '다식(多識)'은 AI + 로봇에 비할 바가 못된다. 예를 들어 중국에서는 AI + 로봇이 의사 국가 면허시험을 통과했다. 과거 판례를 활용하는 변호사 영역은 AI가 가장 자신 있어 하는 영역이다. 방대한 지식을 필요로 하는 직업일수록 AI에 의해 대체되기 쉬운 시대를 살고 있다. 그런데

---

7) Saturday Evening Post, What Life Means To Einstein, An Interview by George Sylvester Vierec 1929. 10. 26

우리는 어떤가. 유대인 학교에서는 학생들에게 마따호세프(네 생각은 무엇이니)를 끊임없이 던진다. 선생이 가르치지 않는다. 유대인 교육방법의 핵심이다. 아이들이 학교에 갈 때 한국 엄마들은 선생님 말씀 잘 들으라 하고 유대인 엄마들은 질문 많이 하라고 한다. 결과는 1:193이다 (노벨상 수상자 기준)

지식에 대한 가치관의 급변하는 상황에서 우리가 기억해야 할 것은 바로 아인슈타인의 명언이다. AI는 방대한 지식의 양은 있어도 창의력과 상상력은 거의 없기 때문이다. 물론 창의력과 상상력의 근원에 지식이 필요한 것은 말할 필요도 없지만... 어느 정도 이상의 지식은 모두 동일하게 억세스할 수 있는 시대가 도래해 오고 있기 때문에 더더욱 창의력과 상상력이 필요해지고 있다. 물론 창의력 또한 먼저 상상력이 바탕에 있어야 한다. 상상력이 중요한 이유이다. 일찌기 피터드럭커가 말한 지식사회의 도래가 정보화를 중심으로 한 제3차 산업혁명을 상징하는 말이었다면 우리가 직면하고 있는 AI, Big data, Iot 3종 세트를 중심으로 하는 4차 산업혁명에서는 이런 가치에 의심을 품어야 할 것이라 생각된다. 가까운 장래에 지식사회의 종언을 고하고 창의력과 상상력의 시대가 도래해 올지 모르기 때문이다.

책과 노트에 있는 것을 왜 외워야 하는가?[8)]

8) 신문사 인터뷰에서 광속도 수치를 답하지 못해 기자로 부터 야유를 받고 나서 말한 아인슈타인의 대답

9. 자기에게 없는 것을 한탄하지 말고 지금 갖고 있는 것을 마음껏 즐기는 자가 현명한 자다

- 에픽테토스 -

고대 그리스의 스토아 철학자. 에픽테토스의 말이다. '참고 견디라'는 원리를 행동 신조로 삼고 있던 스토어 학파는 고난 가운데서 평온을 유지할 수 있는 것과 인류의 평등을 말한 가르침으로 황제 마르쿠스 아우렐리우스의 사상에 영향을 주었다. 에픽테토스는 극기를 강조하고 자제를 역설했다. 어떤 고난이 닥쳐와도 태연자약하게 견딜 수 있는 부동심의 경지에 도달하기 위해서 명석한 이성과 강한 의지의 훈련을 강조했으며 대지에 힘있게 뿌리를 박고 있는 거목처럼 늠름하고 씩씩하게 살아가자는 것이다. 이른바 자족의 철학이다. 이처럼 고대 그리스에서 이미 지구상에서 행복하게 사는 방법, 현명하게 사는 방법을 갈파하고 있었다.

많은 사람들이 나는 이것이 없다 저것이 부족하다고 자기에게 없는 것을 한탄하곤 한다. 옛말에 '남의 떡이 더 커 보인다'는 말이 있다. 독신의 입장에서 보면 처자가 있는 생활이 행복해 보이기 마련이고 기혼자 입장에서 바라보면 돈과 시간이 프리한 독신생활이 부러워 보인다. 생각하는 대로 원하는 일에 종사하지 못하는 사람의 입장에서 보면 세계가 좁다고 하면서 열심히 일을 하는 사람이 생기있게 보이지만 정작 일에 쫓기는 사람은 돈이 없어도 구속되지 않는 자유가 부러워 보인다. 이렇듯이 사람은 자신이 갖고 있는 것을 한탄하고, 자신에게 없는 것을 갈망하는 특성이 있다.

동양사상에서도 에픽테토스의 명언과 유사한 가르침을 전해주고 있는데 바로 노자다. 노자는 "자신의 내면을 바라보지 않고 자신의 외부에만 눈을 돌리고 있다"고 표현하고 있다. 즉, 항상 자신의 외부만 보고 자신에게 없는 것을 추구하면, 다음에서 다음으로 원하는 것이 계속 나와 버리게 된다는 것이다. '충분하다'는 것을 알 틈도 없이, '더' '아직 부족하다'고 끝없이 원하게 된다. 충분함을 알 수 없다는 것은 충족될 수 없다는 것. 항상 불만이 남아 있기 때문에 마음 평온하게 살 수 없게 되어 버리는 것이다.

노자 도덕경 33편에 지족자부(知足者富)라는 말이 있다. '스스로 만족함을 알고 있는 사람은 여유 있게 살 수 있다'고 노자는 말하고 있다. 참고로 도덕경 33편을 소개한다.

知人者智 自知者明

남을 아는 것을 지(智)라 하고 자신을 아는 것을 명(明)이라 한다

勝人者有力 自勝者强

남을 이기는 것을 유력(有力)이라 하고 자신을 이기는 것을 강(强)이라 한다

知足者富

스스로 족할 줄 아는 사람은 부자다

强行者有志

도(道)를 따라 세차게 나가야 비로소 뜻을 얻었다 하겠다

不失其所者久

자기의 근원을 잃지 않으면 영원할 수 있고

死而不亡者壽

죽어도 도(道)를 잃지 않으면 장수할 수 있다

충분함을 안다는것 = 만족하는 것을 아는 것은 사실 매우 어려운 일이다. 지금처럼 계속해서 새로운 제품이 탄생 물건이 넘치는 현대 사회에서는 다양한 물건이 어떤 의미로는 '일회용' 상태로 되어 있다. 그런 환경에 살게 되면 아무래도 '더 기능을 갖춘 새로운 것' '버전 업 한 것'에 눈이 향하기 십상이다. 결과적으로 '필요 여부'를 검토할 여지 없이 새로운 것을 얻을 수 있는 기회가 계속해서 늘어나고 있는 현실이다.

그러나 조금 멈춰서서, "이것을 사면 정말 자신의 인생은 부유해질 수 있을까?"라고 다시금 생각해 보라.
어떤 것도 다른 사람이나 세상의 기준에 흘러가는 것이 아니라 자신에게 맞는 것을 선택하는 것, 자신에게 있어서의 '충분함'을 아는 것이 진정한 행복으로 가는 열쇠일지도 모른다. 그런데 '충분함을 아는 것'이라고 하면 '욕심부리지 않고 적당히 만족하면 좋은 것'이라고 해석해 버리는 분도 많을지도 모른다. 그러나 노자가 말하는 '충분히 안다'고 하는 것은, 그런 '어쩔 수 없이 만족한다'는 소극적인 의미가 아니다. '이걸로 족해'가 아니라 '이것이야말로 좋은 것'이라는 삶. 지금의 자신에 만족하는 것이야말로 충분함을 아는 것이다.
자신이 가지고 있는 자신이 익혀 온 것, 자신이 지금까지 이루어 온 것을 인정하여, 우선 그것에 만족하는 것이다. 물론 더 나은 것을 목표로 하는 것도 중요하다, 욕심도 있을 수 있기 때문에 사람은 노력할 수 있다. '사람들에게 좋게 보여지고 싶다,' '사람으로부터 사랑받고 싶다,' '존경받고 싶다'는 마음이 없으면 힘을 낼 수 없을 수도 있다. 그러나 그것은 그뿐, 마음이 피폐해 버린다. 아무리 열심히 무언가를 얻더라도, 그것으로 만족하지 않고 '더, 더'와 같이 다음을 바라는 것으로는 자신이 보상되지 않는다. 때로는 자신의 내부에 눈을 돌리고, "자신은 이렇게 많은 것을 이루어 왔구나"라고 지금까지의 자신을 인정하고 칭찬해 주는 것도 중요하다. 그것이 마음 편히 살 수 있는 하나의 지혜라고 말할 수 있겠다.

10. 공동묘지에서 가장 부유한 사람이 되는 것은 나에게 중요하지 않습니다 밤에 잠자리에 들면서 우리가 뭔가 멋진 일을 해냈다고 말하는 것 그게 저한테는 중요한 일이에요

- 스티브 잡스 -

-

스티브 잡스의 이 명언은 물질적 부만이 성공의 궁극적인 척도가 아니라고 믿었던 한 남자의 이데올로기를 반영하고 있다. 대신 잡스는 의미 있는 업적과 성취로 정의되는 유산을 남기는 것의 중요성을 강조한다.

많은 사람들이 성공을 막대한 부를 축적하는 것과 연관 짓지만, 잡스는 이러한 통념에 도전한다. 그는 돈과 소유물이 일시적이며 우리가 지상에 있는 시간 이후에는 거의 의미가 없다고 한다. 잡스는 물질적 이득을 끝없이 추구하기보다는, 한 사람의 인생을 가늠할 수 있는 진정한 척도는 그들이 얼마나 의미 있는 영향을 미쳤느냐에 있다고 믿었다.
물질적 부의 추구와 개인적 성취의 추구를 대조해 보면, 외재적 동기와 내재적 동기의 차이를 알 수 있다. 외재적 동기는 외적 보상이나 인정을 추구하는 것을 포함하지만, 내재적 동기는 내적 욕구와 열망에서 비롯된다. 잡스는 크든 작든 훌륭한 일을 하는 데서 오는 내재적 만족감이 물질적 부를 훨씬 능가한다고 했다. 더욱이 잡스의 말은 열정과 꿈을 추구하는 것의 중요성을 강조한다. 멋진 것을 만드는 데 집중함으로써 개인은 외부의 압력이 아닌 내면의 욕망에 의해 움직인다. 이러한 접근 방식은 진정성 있고 자기 주도적인 성장을 가능하게 하여, 보다 성취감 있고 목적이 있는 삶으로 이어진다.
물질주의와 외적인 성공에 몰두하는 세상에서 잡스의 명언은 우리의 우선순위를 재평가하라고 외치고 있다. 그것은 우리가 부의 축적에서 개인적인 성취를 추구하는 방향으로 초점을 옮기도록 촉구한다. 세상에 긍정적인 영향을 미치고, 지속적인 유산을 남기고, 진정한 만족을 찾는 것이 잘 사는 삶의 진정한 지표라는 것이 스티브 잡스의 주장이다.

결론적으로, 스티브 잡스의 명언은 사회적 규범에 도전하고 전통적인 성공 척도에 의문을 제기한다. 그는 멋진 일을 하고 의미 있는 성취에서 만족을 찾는 것을 강조함으로써 물질적 부보다는 개인적 성취를 추구하도록 우리의 관심을 이끌어 낸다. 잡스는 외재적 동기와 내재적 동기를 대조함으로써 우리의 삶에 열정과 더 깊은 목적의식을 추구하도록 한다. 궁극적으로 그의 말은 멋진 일을 했다는 유산을 남기는 것이 묘지에서 가장 부유한 사람이 되는 것보다 훨씬 더 중요하다는 것을 우리에게 상기시켜 주고 있다.

11. 재산을 잃은 사람은 많이 잃은 것이고, 친구를 잃은 사람은 더 많이 잃은 것이며, 용기를 잃은 사람은 모든 것을 잃은 것이다

- 미겔 데 세르반테스 -

사전적 정의의 용기 (勇気, 英: courage)는 '일반 사람들처럼 공포, 불안、주저 또는 부끄러움을 느끼는 것을 두려워하지 않고 (자신의 신념에 따라) 적극적으로 강한 마음을 갖고 임하는 것'이라고 정의하고 있다.
소크라테스는 용기의 정의에 대해서 플라톤의 대화편 『라케스』에서 매섭게 의문을 제기한다. 그는 용기란 ' 두려워할 것과 두려워하면 안되는 것을 식별하는 것'이라고 정의한다.

라케스와 네케아스가 젊은이들에게 창술을 가르치는 게 과연 옳은가, 그렇지 않은가에 대해 토론하고 있을 때 소크라테스가 끼어들어 왜 토론하고 있는지 묻는다. 두 사람은 ' 용기란 전쟁에서 물러나지 않는 것' 이라고 대답하자 소크라테스는 과연 그것이 참된 용기인지 되묻는다. ' 상황과 처지에 대해 고려하지 않고 무조건 칼을 빼들고 '돌격 앞으로'의 행위가 과연 용기일까.? 그러한 판단은 자칫 상황을 악화시키고 나아가 국가를 위태롭게 할 수도 있다. 따라서 그것은 참된 용기가 아니라는 것이다.

소크라테스는 "용기 있는 사람들은 두려워할 때는 추한 두려움을 두려워하지 추한 대담함에 대담하게 굴지 않는다." 즉 아름다운 용기가 필요한 일에 대담함을 보이는 사람이 진정 용기 있는 사람이다. 그러니까 두려워해야 할 것과 두려워하지 말아야 할 것을 분별하는 지혜에서 참된 용기가 비롯되는 것이다. [9]

누구나 두려움은 있기 마련이다. 만약 인간이 두려움을 모른다면 제명을 다 누릴 수 없을 것이다. 사자가 나타나도 도망치지 않을 것이고 몸을 마구 다뤄 온갖 병에 노출돼 결국 몸을 망가뜨려 죽을 것이다. 반대로 과다한 두려움은 어떠한 일도 자신 있게 할 수 없게 하거나 비겁하게 만들 수 있다. 따라서 중요한 것은 두려움을 통제하고 극복하는 것이다.

소크라테스 용기의 사례에 꼭 맞는 어느 블로그에 소개된 아버지와 5살 아들의 대화 내용을 소개한다.

---

9) 라케스

목욕탕에서 목욕하던 중에 5살 아들이 아버지에게 물었다.

아들: 아빠, 용기는 어떻게 해서 내는 거야?
아빠: 왜 물어보니?
아들: 아무리 힘이 세도 마음이 약하면 지니까.
아빠: 그렇구나. 마음이 약하면 싸우기도 전에 도망가니까 힘이 있어도 발휘할 기회가 없어질 수밖에 없지.
아들: 그러니까 용기는 어떻게 해야 낼 수 있는 거야?
아빠: 참 어려운 이야기구나. 어른이 되어도 무서운 것은 무서우니까….
아들: 그래? 아빠도 무서워해?
아빠: 두려움을 느끼는 것 자체는 나쁜 것도 아니고, 창피한 것도 아니야.
아들: 그럼 용기는 없어도 되는 거야?
아빠: 그렇지는 않아. 용기를 내야 할 때는 내야 하는 거야.
아들: 어떤 때?
아빠: 예를 들어 사자가 우리 앞에 갑자기 나타나서 잡아먹으려고 한다고 해봐.
아들: 그런데….
아빠: 너도 겁이 나지만 아빠도 사자가 나타나면 아빠도 잡혀 먹힐까 봐 겁이 나지.
아들: 그럼 어떻게 해? 도망가나?
아빠: 아빠가 도망가면 당연히 너를 데리고 도망가는데 둘 다 도망치기가 어렵다면 아빠가 사자와 맞서고 너만 도망가게 하지. 무섭지만 용기를 내서…. 그런게 용기란다.
아들: 어떻게 그런 용기가 나와?
아빠: 물론 아빠도 사자에 잡혀 죽는 것은 정말 무섭지. 그래도 잘 생각해 보면

아빠 대신 네가 잡혀 먹는 것은 더더욱 무섭잖아. 그래서 덜 무서운 쪽으로 생각해서 용기를 내는 거야.

아들: 응, 알 것 같기도 하고….

아빠: 5살에게는 어려울지도…. 아무튼 눈앞의 무서운 것을 피해 도망가면 더 무섭게 되기 때문에 그걸 알면 자연히 용기가 생기는 거란다.[10]

부자간의 대화를 통해 '용기란 생리적인 두려움('사자가 무섭다')과 이성과 양심이 느끼는 두려움('사랑하는 아들을 다치게 하고 싶지 않다. 도망가는 자신을 용서할 수 없다') 둘 중에서 본질적으로 더 두려운 쪽을 피하는 행동을 하기 위한 자제심'인 것을 알 수 있다. 그러한 면에서 깡패들에게 둘러싸여 있을 때 이성적인 두려움(자존심)을 버리고 생리적인 두려움(도망)에 따라 행동하여 도망치는 것도 용기다. 이처럼 용기란 비단 도망이냐 아니냐 하는 단순 행위를 지칭하는 것이 아니다.

10) 출처: https://hokuohkurashi.com/note/38438

12. 어리석은 사람은 자기가 현명하다고 생각하지만 현명한 사람은 자기가 어리석다는 것을 안다

- 윌리엄 세익스피어 -

셰익스피어의 5대 희극 중 하나로 소박한 목가적 분위기와 권력 암투, 골육 분쟁 등의 요소가 가미된 낭만 희극 ‘ 뜻대로 하세요 (As You Like It) ' 의 5막 1장에 나오는 대사다.

[탓치스턴(광대)] "그저 그렇다". 좋군, 퍽 좋아, 아주 좋아요.
- 그런데 좋지가 않군. 자네 영리한가?
[윌리엄(시골청년)] 네. 좀 영리한 편이죠.
[탓치스턴] 참 말 잘했어. 옛말이 하나 생각나는군. **어리석은 사람은 자기가 현명하다고 생각하지만 현명한 사람은 자기가 어리석다는 것을 안다.** "

이 명언은 소크라테스가 재판정에서 자신의 사상을 펼치며 변론한 것을 제자인 플라톤이 쓴 '변명'에 나오는, '무지(無知)의 지(知)' 즉 " 나는 내가 아무 것도 모른다는 것만 안다"는 말도 같은 맥락에서 이해된다.

소크라테스의 친구 카레이폰이 델포이 신전에 가서 '소크라테스보다 더 지혜로운 사람이 있습니까?' 하고 묻자, 델포이 신전의 무녀가 '소크라테스보다 더 지혜로운 사람은 없다'고 한 신탁을 소크라테스에게 전하자 소크라테스가 그럴 리가 없다면서 아테네의 똑똑하다고 알려진 사람들을 찾아가 질문해(소크라테스식 문답) 보고는, 그들은 자신의 무지조차 모르고 있으며, 자신은 무지를 깨닫고 있기 때문에 결국 아테네에서 자신이 가장 현명하다는 걸 깨닫고 하는 말입니다.

"나는 신이 무엇을 말씀하시려는지 오랫동안 궁금하게 여기고 있었습니다. 그리하여 다음과 같은 방법으로 그 뜻을 알아보기로 하였습니다. 그것은 지혜가 있다는 명성을 가진 사람들을 찾아가 신탁이 잘못됐다는 것을 증명하는 것이었습니다. 많은 사람들이 지혜롭다고 하는 정치가를 찾아갔습니다. 그 사람과 질문을 주고 받으면서 나는 이런 느낌을 받았습니다. 다른 사람들뿐 아니라 특히 그 자신이 스스로를 지혜로운 사람이라고 굳게 믿고 있지만 사실은 그렇지 못하다고...나는 집에 돌아오는 길에 생각했습니다. 적어도 그 사람보다는 내가 더 지혜가 있다고. 그 사람도 나도 아름다움이나 선한 것에 대해 다 알 수 없습니다. 아니 사실 아무것도 모릅니다. 그러나 그 사람은 모르면서도 아는 것처럼 생각하고 있었고 나는 아무 것도 모르기 때문에 모른다고 생각하고 있었습니다. 모른다는 것을 모른다는 바로 그 하찮은 사실 때문에 나는 그 사람보다도 더 지혜로운 것이 아닌가 하는 것입니다"

13. 세상에 하룻밤의 성공은 없다

- 에픽테토스 -

한 송이 포도나 무화과처럼
어떠한 위대한 일도 한 순간에 이루어지지 않는다.
만약 당신이 무화과를 갖고 싶다고 말한다면
시간이 필요하다고 대답하겠다.
먼저 꽃을 피우고, 열매가 열리고
익기를 기다려야 한다.

노예 출신의 철학자 에픽테토스. 고난과 어려움이 있어도 강하게 사는 것을 말한 그의 가르침은 현대의 비즈니스와 일상생활에 응용할 수 있을 것이다. 그는 저서를 남기지 않았지만, 그 가르침은 제자의 아리아노스에 의해 정리한 『Discourses(담화록)』은 스토아 철학 텍스트 중에서 아마도 가장 널리 읽히고 영향력이 크다고 한다. 이 명언의 포인트는 발명, 예술 작품, 개인 목표 등 무엇이든 그것을 만들기 위해 시간과 노력이 필요하다는 것이다. '인내는 미덕'이며, 좋은 것을 달성하기 위해서는 단호한 결의를 가지고 꾸준히 노력해야 한다. 또한 에픽테토스가 무화과 등의 과일을 인용한 것에도 의미가 있다. 열매가 되기까지 시간이 걸린다는 것, 더 많은 열매를 먹을 수 있는 단계에 도달할 때까지 여러 단계를 거치는 것이 중요하다는 것이다. 하룻밤 사이에 성공자가 되는 이야기를 여러 번 들어본 적이 있을 수 있다고 생각되지만, 그것은 전체를 이야기한 것은 아닐 것이다. 당신은 누군가가 오랜 노력 끝에 기회를 잡아 든 순간을 보고 있는 것에 지나지 않는 것이다. 즉, 무화과 열매를 본 것이고, 그 열매가 익을 때까지 많은 시간과 에너지가 소비되었다는 것은 모르는 것이다. 그러니 노력이 즉시 보상되지 않더라도 낙담하지 말자. 세상은 그렇게 움직이고 있지 않다. 무화과 열매 같은 작은 성공이라도 시간을 들여 여러 단계를 거쳐야 한다. 최종 목표로 가기 위해 중간 목표를 설정하고, 꽃이 피고 열매를 맺고 열매가 익을 때까지 계속 전진하라. 언젠가 그 열매를 손으로 딸 날이 올 것이다.

14. 뒤를 돌아보지 않으면 인생을 이해할 수 없지만 앞을 내다보지 않으면 앞으로 나아갈 수 없습니다

- 쇠렌 키에르케고르 -

키르케고르는 유명한 철학책『죽음에 이르는 병』을 출판한 철학자이다. 이 책은 절망에 관한 책인데, 그런 책을 쓴 키에르케고르의 전형적인 표현이라고 생각한다.

긍정적으로 살기 위해서는 과거에 얽매이지 않고 앞으로 나아가는 것이 좋다. 물론 실패를 반성하는 것도 중요하지만, 그렇게만 하면 앞으로 나아갈 수 없다. 기본적으로 앞을 내다보고 때때로 뒤를 돌아보는 것이 좋다.

벽을 보지 마라. 나아가고 싶은 방향을 보아라[11)]

PDCA 사이클에서 '인생'에 해당하는 단어는 P(계획)와 D(실행)이다. 당신이 원하는 대로 계획하고 실행할 때에만 살 가치가 있다. 그러나 우리 모두는 필연적으로 큰 장애물과 문제에 직면한다. 따라서 '회고와 이해' C (검증)를 실시한다. 그리고 그 후 '앞을 내다보지 않으면 앞으로 나아갈 수 없다'에 해당하는 A (개선 action = practice)가 실행된다. 이 '우리는 앞을 내다보아야 한다'에서 C는 A의 행동에 대한 동기다.
과거는 과거를 돌아보며 후회하거나 불평할 일이 아니다. 반성하기 위해 돌아서야 할 것이다. 그리고 올바른 성찰을 통해서만 우리는 올바른 길을 보고 앞으로 나아갈 수 있다. 완전하고 적절하게 반성하고 나면 앞을 내다보기만 하면 된다. 어떤 경우에도 곁으로 비켜서는 안된다. 곁눈질은 망설임을 유발한다. 이 경우 C는 의미가 없어지고 A는 앞으로 나아갈 수 없고 가만히 있어야 한다. 인생을 올바르게 되돌아보고 올바르게 앞으로 나아갑시다.

"미래를 내다보는 눈으로 점들을 연결할 수는 없으며, 과거를 돌아볼 때에만 점들을 연결할 수 있습니다. 따라서 우리는 미래의 어느 시점에서 점들을 연결할 수 있을 것이라고 믿어야 합니다. 직관이든, 운명이든, 삶이든, 카르마든, 무엇이든 간에, 당신은 무언가를 믿어야 합니다. 나는 이런 삶의 방식에 대해 후회한 적이 없으며 그것이 내 인생을 많이 바꿨다고 생각합니다." [12)]

---

11) 안소니 로빈스, 안소니 로빈스 명언집 (한순간에 자신을 바꾸는 말)
12) 스탠포드대학 졸업식 축사, 스티브 잡스

15. 가르치는 것은 두 번 배우는 것이다

- 조셉 주베르 -

죠셉 주베르는 일생을 독서와 명상(瞑想)으로 보낸 프랑스인 모럴리스트(moraliste)이다. 모럴리스트란 인간 본연의 자세를 관찰하고 그 본질에 대해 깊이 생각한 것을 잠언 형태의 비교적 짧은 문장으로 표현하는 문학자를 일컫는데 17세기 프랑스에서 많이 배출되었으며 잘 아는 파스칼이 대표적인 모랄리스트이다. 죠세프 주베르는 생전에 저작이 단 한 권도 없어 사후 14년 지나서야 친구가 수상록으로 발간해 준 경위가 있는데 위키피디아에도 오로지 자신의 모국인 프랑스판에만 실릴 정도로 잘 알려지지 않았지만, 이웃 일본에서는 의외로 많은 사람들이 그의 명언을 실생활에서 활용하고 있다. 이 명언은 가르치는 입장에 있는 사람이라면 누구나 자신의 좌우명으로 할 만한 명언이다. 명언의 의미를 한

번 살펴보자. 프랑스어 선생인 Olfa(올파)의 글을 인용해 의미를 해석해 본다. 그녀에 의하면 죠셉의 명언은 프랑스인이라면 누구나 아는 명언이라고 한다. 누구나 간에 자신이 부모나 교육자가 아니더라도 누군가에게 무언가를 가르치는 일이 있을 것이다. 길을 알려주든 연하의 후배에게 무언가를 가르쳐 주든지 그런 때가 있을 것이다. 그럴 경우 프랑스에서는 가르친다고 하지 않고 한번 더 외우는 기회라고 한다[13)]

더 나아가 상대를 가르친다고 하는 것은 자신이 외울 때와 다른 능력이 필요하다. 같은 것을 두 가지 안목에서 바라보아야 해서 상대에 대한 배려도 해야 한다. 그리고 자신이 기억한 것을 다른 사람에게 가르치면 기억에 더욱 잘 남는다. 원래 기억에는 의미론적 기억과 일화적 기억이 있다고 한다. 의미론적 기억은 사실을 기억하는 것이다. 일화적 기억은 사적인 경험과 관련된 기억이다. 예를 들어 ' 레스토랑은 식사하러 가는 곳이다.'는 기억은 의미론적 기억이다. 이에 비해 '우리는 지난 주에 레스토랑에서 OO와 식사를 했다'는 기억은 일화적 기억이다. 일반적으로 경험에 의한 기억이 오래 남는다. 남을 가르침으로써 가르친 사람들이나 장면, 방법 등을 기억한다. 즉 일화적 기억이 만들어지는 것이다. 그래서 오래 기억에 남는 것이다[14)] 남들을 가르친다는 것은 두 번 배우는 효과가 있다. 필자도 대학교 때 고등학생을 가르쳐 본 적이 있다. 학비가 부족해서 과외비를 벌어야 했다. 남을 가르치다 보니 내가 더 열심히 공부했었다. 누군가를 가르칠 때 그 안에서 얻게 되는 새로운 지식이 있다. 다른 사람을 가르치는 일에 종사하는 사람들이라면 모두 공감

---

13) 히브리어로 teaching의 의미에는 배운다는 뜻이 있는데 가르치는 것이 곧 배우는 것이라는 의미이다.
14) 브런치 안쵸비에서 인용

할 것이다. 미국 MIT 대학의 행동 과학 연구소에서 발표한 학습 피라미드는 외부 정보가 우리 두뇌에 기억되는 비율을 학습 방법별로 정리한 것인데 가르치기가 90%의 효율성을 갖는 것으로 나타났다. '가르치는 것은 두 번 배운다'에는 또 하나의 의미가 숨어져 있다. 바로 겸손의 마음이다. 선생이라도 배울 부분이 있다든지 자신은 가르치고 있다고 생각하지만 실은 상대 덕택으로 공부할 수 있었다든지 하는 겸허한 마음이다. 죠셉 주베르의 명언은 동양에도 있다. 教學相長(교학상장)이라는 말인데 이 말은 예기(禮記) 학기(學記) 편에 나오는 말이다.

雖有嘉肴不食不知其旨也(수유가효불식부지기지야)
좋은 안주가 있어도 먹지 않으면 그 좋은 맛을 모르며

雖有至道不學不知其善也(수유지도불학부지기선야)
지극히 좋은 도가 있어도 배우지 않으면 그 좋은 것을 모르는 법이다

是故學然後知不足(시고학연후지부족)
따라서 배우고 나서 자기의 지덕이 모자람을 알게되는 것이며

教然後知困(교연후지곤)
가르치고 나서야 자기가 아직 지덕이 미숙하여 곤고를 겪는다는 것을 알게 되는 것이다

知不足然後能自反也(지부족연후능자반야)
그리고 자기 지덕이 모자람을 알고나서야 능히 스스로 반성하여 면학하게 되고

知困然後能自强也(지곤연후능자강야)
곤고한 것을 알고 나서야 능히 힘쓰게 되는 것이다

故曰**教學長相**也**(**고왈**교학상장**야)
그러므로 말하기를 가르치는것도 배우는 것도 지덕을 성장하게 하는 것이다.

悅命曰**斅學半**其此支謂也(열명왈**효학반**기차지위야)
열명에도 이르기를 '가르치는 것은 반은 자기가 배우는 것과 같다.

고 했는데 이를 두고 한 말이다. 이처럼 **교학상장(教學長相)**이나 **효학반(斅學半)**은' 남에게 가르치는 일과 자신의 학문을 닦는 일은 서로 도움이 됨'이라고 보고 '남을 가르치는 과정에서 자신의 학식을 높여 나간다'는 의미로 쓰이는 말이다. '가르치는 것은 두 번 배우는 법이다'의 응용도 생각할 수 있다. 예를 들어 혼자 공부할 때도 가르치는 것을 전제로 공부하면 능률이 올라간다. 혼자서 공부하면 다소 내용이 어렵더라도 충분한 이해 없이 앞으로 진도를 나가곤 하지만 남을 가르친다고 할 때는 확실히 이해될 때까지 몇 번이고 읽어 보거나 다른 문헌을 참조한다든지 하게 된다. 이로 인해 이해가 깊어지고 기억력도 오래 가게 된다. 독서에서도 마찬가지다. 혼자 독서하는 것보다는 독서회를 만들어 같이 발표할 기회를 갖는다든지 읽은 것을 정리해서 블로그에 올려 다른 이들에게 지식을 전달하든지 그것들을 모아 책으로 편찬하는 것도 기억력을 높이는 길이다. 다른 이들의 피드백을 통해 다시 배울 수 있는 기회를 얻을 수 있는 것은 물론이다.

(명언 모음 1)

상식의 10년 앞을 보라!

빌 게이츠의 명언 탐구

자신이 낸 아이디어를 적어도 한 번은

사람에게 비웃음 받는 것을 해야

독창적인 발상을 하고 있다고 말할 수 있다.

회사의 가치와 보상 시스템도 이 생각을 반영해야 한다.

이것은 마이크로소프트 창업자인 '빌 게이츠'의 명언이다. 지금까지 시대를 열어 온 빌 게이츠의 수많은 아이디어도 당초에는 상식을 벗어난 것이라고 야유를 받아 좀처럼 받아들여지지 않았던 것이 많다. 이 빌 게이츠의 명언은 그런 새로운 가치와 비즈니스 모델 등을 창출하려고 하는 사람들에게 용기를 준다.

빌 게이츠의 명언에서 생각하는 "사회의 변화"

빌 게이츠의 'Windows'의 개발을 통해 우리의 새로운 생활 스타일이 만들어졌다고 해도 과언이 아니다. 그런 빌 게이츠는 최근의 "사회의 변화"를 어떻게 파악하고 있을까. 빌 게이츠의 명언에서 풀어나가자.

기술이 진보한 것만으로는 사회의 변화는 일어나지 않는다.
적어도 변화를 받아들이는 사람들이 몇이라도 없으면
아무것도 일어나지 않는다.

혁신적인 기술을 속속 만들어 낸 빌 게이츠. 그러나 빌 게이츠는 단순히 기술이 만들어지는 것만으로는 의미가 없다고 생각한다. 익숙한 기존 기술에서 벗어나 새로운 기술에 적극적으로 눈을 돌리려는 몇 사람의 존재가 중요한 것이다. 그러한 소수 사람들의 행동이 조금씩 퍼져나가다가 드디어 역동적인 사회로 변화되는 법이다.

우리는 항상 앞으로 2년에서 일어나는 변화를 과대평가하고
향후 10년에서 일어나는 변화를 과소평가하게 된다.
무위로 보내서는 안된다.

10년 전, 지금과 같은 정보 사회를 누가 상상했을까. 정보면 뿐만 아니라 여성의 사회 진출이 진행되는 등 사회 구조도 크게 바뀌어왔다. 빌 게이츠는 10년 후에는 상상도 할 수 없을 정도로 사회가 바뀌고 있다는 것을 상정하면서 움직여야 한다고 말한다.

빠르게 변화하는 산업에서 성공하고 있는 기업이란
핵심이 되는 트렌드의 최첨단을 가고,
새로운 응용에 가치를 부가할 수 있는 기업이다.

성공하는 기업을 보면 어떤 기업이든 진일보해서 우리의 요구를 예측하고 새로운 기술과 기능을 만들어 내고 있다. 빌 게이츠는 그러한 기술을 제공함으로써 한층 더 새로운 요구가 다시 태동하여 사회는 변화해 간다고 생각한다.

빌 게이츠는 성공과 실패에 대해 어떻게 생각하고 있었을까.

성공이라는 것은 귀찮은 교사이다. 수완을 겁쟁이로 만드니까요.

사람은 일단 성공을 경험하면 실패하는 것을 두려워하게 된다. 그리고 '성공자'라는 직함을 유지하기 위해 새로운 것에 도전하지 않게 되어버린다. 하지만 그러면 더는 성공은 잡을 수 없다. 빌 게이츠는 실패를 두려워하지 않는다고 생각한다.

당신의 고객 중 가장 불만이 있는 고객이야말로
당신에게 최고의 학습 자원이다.

일을 하고 자신이 제공한 것이 높은 평가를 해주는 사람에 관심이 가기 쉽지만, 빌 게이츠는 가장 불만을 가지고 있는 사람이야말로 주목해야 한다고 생각한다. 왜냐하면 그 사람의 의견은 개선 사항에 대한 정보가 많이 들어있어 그런 점을 개선해 나가는 것이야말로 좋은 것을 제공하기 위한 첩경이기 때문이다. 수많은 성공을 거둔 빌 게이츠이지만 빌 게이츠는 성공에 만족하지 않고 항상 자기 연마를 계속해야 한다고 생각한다.

빌 게이츠의 명언에서 생각하는 "시야를 넓히는 방법"이란

빌 게이츠는 정보 수집에 대해 어떻게 생각하고 있었을까.

적어도 시사 주간지를 한 권은 구석구석까지 들여다 보고 있다..
그래야 관심의 폭이 넓어지기 때문이다.
자신이 흥미 있는 것만 예를 들어 과학의 페이지나
비즈니스 페이지 밖에 읽지 않는 경우에
그 잡지를 읽기 전의 자신과 조금도 변함없게 되어 버린다.
그래서 전체를 훑어본다.

인터넷에서 정보를 수집할 일상이 되어 있는 지금의 시대. 자신의 관심사만을 검색하고 마는 사람이 많은 것이 아닐까. 빌 게이츠는 인터넷이 아니라 주간지를 한 권 읽는 것에서 균형 있게 정보를 모으고 있다. 다양한 분야의 정보를 얻게 되면 세상에 대한 시야가 넓어져, 떠오르는 아이디어의 폭도 넓어질 것이다.

어릴 때부터 책을 많이 읽고 자기 스스로 생각하라고 말을 들으면서 자랐다. 부모는 책이나 정치나 기타 여러가지에 대해 아이들과 같이 논의했다.

빌 게이츠는 어릴 때부터 다양한 관심을 가지고 자랐다. 또한 부모와 정치 등을 논의했다고 한다. 어린 시절 어른들의 생생한 소리를 듣고 있던 것은 훗날 그의 삶의 거름이 되어 갔다. 우리도 다양한 분야에서 활약하는 사람과 적극적으로 이야기하여 시야를 넓혀갈 필요가 있다.

이처럼 빌 게이츠의 독창성을 엿볼 수 있는 명언들은 급변하는 사회를 사는 우리의 삶을 풍요롭게 하는 메시지처럼 비친다. 원래 우리가 '상식'이라고 생각하는 것은 도대체 무엇인가. 인간은 약하고 편하기를 원하는 생물이므로 '무엇이 옳고 그른 것인가' '어떤 것이 가치가 있는가'와 같은 중요한 것은 '상식'에 의존하여 생각하는 경향이 짙다. 그러나 빌 게이츠의 명언에도 있듯이 '상식'은 10년 단위로 바뀌는 것이다.
'상식'에 얽매이지 않는 날카로운 눈을 가지고 나름대로의 올바른 판단을 내릴 수 있는 비즈니스맨을 목표로 하고 싶다.

CHAPTER 2

역경

16. 미래를 예측하는 가장 좋은 방법은 그것을 만들어 나가는 것이다

- 피터 드럭커 -

원래 명언은 다음과 같다.

"미래를 예측하려고 하는 것은 밤중에 시골길을 전조등도 켜지 않고 달리면서 뒷창문으로 밖을 보려는 것이나 다름없다. **미래는 예측하는 가장 좋은 방법은 그것을 만들어 나가는 것이다"**

피터 드럭커는 오스트리아 빈 출신의 경영학자, 사회학자. 기업의 존재 의의 및 매니지먼트에 관한 세계적인 권위자. 현대경영학과 매니지먼트의 발명자로 불리우며 그의 저서는 경영의 교과서로서 세계의 경영자들이 애독하고 있다. 또 「민영화(Privatization)」「지식노동자(Knowledge economy)」라는 단어는 그가 만들어 낸 것이다. 그의 저서의 기본 테마는 '인간이 행복하기 위해서는 어떻게 하면 좋은가?'에 집약되어 있다. 그는 미래는 소기업가들이 만들어 내는 구상에서부터 나온다고 한다. 경영자들이 장래를 예측하고 그에 따른 동향에 따라 조직을 움직이는 것이 과연 맞는 일인가? 피터드럭커는 'No'라고 단호하게 대답한다

미래는 예측하는 것이 불가능하다.
과거를 돌아보더라도 미래는 알 수 없다

미래는 현재의 연장선에서 존재하는 것이 아니라
현재와는 별개의 것이기 때문이다.

미래는 아직 생기지도 않았고 아직 확정되지도 않았다.
그러나 미래는 목적을 가진 행동에 의해 형성될 수 있다.

즉 자기 자신이 있는 곳을 파고 들어가는 것이다. 자꾸 파고 들어가다 보면 언젠가 거기에서 아이디어가 샘처럼 솟는다. 그리고 샘솟는 아이디어를 실행하는 것이다. 아이디어는 이처럼 작은 것에서부터 출발한다. 그래서 미래를 만드는 데에는 소기업이 유리한 이유다.
새로운 것과 기존의 것의 차이를 금전 면에서 판단하면 서로 비교조차 할 수 없을 만큼 기존의 것의 비중이 크다. 게다가 새로운 아이디어는

많은 노력을 수반해야 하기 마련이다. 그래서 대기업에서는 이런 아이디어가 무시되기 쉽다. 대기업보다 소기업에서 미래에 대한 접근이 용이한 이유다. 미래를 만드는 것은 바로 이런 기업가적인 작은 아이디어에서 발아되어 그것이 장래의 니즈에 대응해 가면서 미래가 형성되는 것이다.

미래는 예측하는 것이 아니다. 아주 작은 아이디어에서 나오는 엄청난 힘(the big power of little idea), 그것이 미래를 만드는 것이다.

PayPal의 종업원이었던 Chad Meredith Hurley、Steve Shih-chun Chen、Jawed Karim이 만든 유튜브도 단지 친구들에게 파티 비디오 영상을 공유하기 위한 아이디어에서 출발한 것도 같은 이치에서다. 미래는 커다란 아이디어에서 출발하는 것이 아니다. 아주 작은 분야에서 영향을 줄 정도의 작은 아이디어에서 출발한다.

그러므로 미래는 바로 당신의 발 아래에 있다.

17. 당신의 운명은 당신이 지배해라. 그렇지 않으면 남이 지배한다

- 잭 웰치 -

보스톤 대학 졸업 후 GE에 입사. 밑바닥부터 출세의 계단을 올라 CEO까지 등극. 1999年 미국 포춘지 선정 20세기 최고경영자. 업적 부진의 GE의 인력을 대량 해고와 不채산 부문 정리를 통해 소생시킨 잭 웰치. 대부분의 경영자가 그의 경영수법인 리스트럭쳐링과 다운사이징을 도입하였다. 이 명언은 원래 다음과 같다.

" **당신의 운명은 당신이 지배해라. 그렇지 않으면 남이 지배한다.** 아무 것도 하지 않으면 언젠가 누군가에 의해 비즈니스 방식이 바뀌기 마련이니 그렇게 될 바에야 차라리 스스로 바꾸는 편이 좋지 않은가?"

이 세상에는 자신 혼자의 길을 가기 전에는 누군가에게 지배당하는 사람과 지배하는 사람이 있을 뿐이다. 두 가지 길 중 어느 것을 선택하는가는 자기자신의 자유다.

당신은 운명이란 자신이 지배할 수 있다고 생각합니까?
아니면 운명이 당신을 지배하는 것이라고 생각합니까?

세상에는 운명이란 지배할 수 없는 것으로 자신은 운명에 의해 지배당하는 것이라고 생각하는 사람들이 의외로 많다.
운명이란 인생이란 자신이 지배해야 하는 것이며 또 지배할 수 있는 것이다. 인생은 차, 배, 비행기 여행과 같다. 우리는 여행하면서 생각지도 않은 막다른 길을 만나서 먼 길을 돌아가거나 도중에 폭풍을 만나기도 하지요. 그러나 결과적으로 생각지도 않은 즐거운 곳을 발견하기도 하고 무인도나 새로운 대륙을 발견하기도 하는 흥분을 맛보기도 하는 것이 인생이다. 아뭏튼 중요한 것은 반드시 최종 목적지에 다다르게 된다는 것이다.
만일 자신이 조종하지 않는다면 어떻게 될까. 차는 움직이지 않거나 사고를 내기도 하고 배는 표류하거나 좌초하거나 비행기라면 추락해버린다. 인생이라면 부모, 친지, 친구, 회사, 사회에 이끌려 지배당하는 인생이다. 선택하지 않는 것 또한 선택이요 자신이 정하는 것을 포기하는 것 또한 선택이다. 자신의 인생은 스스로 선택하는 것이다.
자신이 원하는 인생을 사는가 아닌가의 차이는 있을지 몰라도 운명이란 인생이란 자신이 지배해야 하는 것이다. 자신이 지배한다는 것은 자기 자신이 생각하고 목표와 목적지를 정하여 행동하는 것을 주체적으로 선택하는 것이다. 매일 자기 자신을 확인하고 자신의 삶의 방식이 이대로 좋은가 살펴보고, 필요시 궤도 수정을 하지 않으면 어느새 우리는 남이 하라는 대로 살고 있는 모습을 발견하게 되는 것이다.

잘 안되면 이 또한 남의 탓을 한다. 잘 되던 잘 안되던 자신이 판단하고 결정한 결과일 뿐이다. 타인이나 회사, 사회, 환경 등에 자기 인생의 책임을 전가한다면 다른 것에 의해 지배당하는 인생을 자인하는 형국이다.

그래서 잭 웰치는 자신의 판단과 선택, 결정이 가장 중요하다고 강조하고 있다.

18. 아무리 비구름이 자욱해도 구름 밖으로 뚫고 나가면 무한한 푸른 하늘이 펼쳐져 있다

- 테오도르 래빗 -

근시안적 마케팅(marketing myopia)의 창시자 테오도르 레빗. 그는 독일에서 태어나 미국에 이주 후 경제학을 전공, 시카고에서 컨설턴트로 활동하다가 하버드 비즈니스 스쿨에 영입, 30년간 교수로 근무하였다.
근시안적 마케팅은 1960년 하바드 비즈니스 리뷰에 기고한 글에 있는 개념으로 해당 논문 인쇄 부수가 50만 부가 넘을 정도로 초인기 논문이다. 그는 마케팅적 발상을 비즈니스 전략에 첨가하고 조직에도 침투시켜 생산 제품 편중 주의를 개정해야 한다고 역설하였다.
기업이 상품을 기능에 착안하여 판매하는 것은 스스로의 사명을 좁게 설정하는 잘못으로 그래서는 경쟁사나 환경변화에 대응이 어렵다. 고객은 상품을 사는 것이 아니라 이점(benefit), 즉 기대 가치를 사는 것임을 강조하였다. 자동차나 항공기의 진전에 의해 쇠퇴한 철도회사의 쇠퇴이유는 사람과 물건을 나르는 운수 산업 즉 가치지향으로 보지 않고 단지 차량을 움직이는 철도산업 즉 기능 중시로 정의하였기 때문이다 [15)]
헐리우드가 TV에게 완전히 자리를 빼앗길 뻔한 이유는 자기들의 사업을 가치 중시의 '연예 오락 사업'이 아닌 기능 중시의 '영화 제작산업'으로 잘못 정의하였기 때문이다.[16)] 그가 말하는 비구름을 뚫고 나가면 만나는 푸른 하늘은 무엇을 의미하는 것일까? 비구름은 바로 패러다임[17)] 이라 할 수 있다. 그렇다면 뚫고 나간다는 의미는 과연 무엇일까? 그것은 우리가 어려운 문제에 부딪치게 되었을 경우 무조건 노력하면 된다는 발상으로 노력을 지속하기보다는 (구름 속에 갇혀 있지 말고...) 기존의 패러다임으로 해결할 수 없는 것은 아닌가 하는 의심을 품고 종래하던 노력을 일단 멈추고 새로운 방향이나 방법을 강구할 때 무한한 가능성이 펼쳐질 수 있다. 즉 구태 발상을 버리고 새로운 발상을 추구할 때 해결의 실마리를 잡을 수 있다는 의미라 할 수 있다.
철로를 아무리 이어도 날 수는 없는 법이다.
날기 위해서는 글라이더에서 출발해야 하기 때문이다.
당신은 어려움이 닥쳤을 때 낡은 기존 사고를 전환하여
새로운 활로를 개척하는 열린 마음으로 정진하고 계십니까?

---

15) 오늘날 철도산업과 자동차, 항공산업의 차이가 증명한다
16) 오늘날 TV 산업은 영화산업을 월등하게 능가하는 산업으로 발전했다
17) 어떤 시기의 어떤 집단이 가지고 있는 구성원 전체가 공유하는 공통적 전제, 사고의 틀

19. 한계 따위는 없다 있다고 믿을 뿐

- 레이디 가가 -

전 세계에서 20명만 조기 입학한다는 학교에서 피아노 재능을 갈고 닦은 후 무명 작곡가로 활동하면서 댄서로 생계유지 중에 가수의 재능을 발견한 에이콘과 계약. 2008년 첫 데뷔앨범 『The Fame』을 발표. 4개국 음악챠트 1위, 전 세계 1500만 장의 빅 힛트. 이후 발매 앨범마다 힛트한 뮤지션 레이디 가가.

끊임없는 실험과 새로운 음악적 영감으로 기존의 아티스트의 틀에 얽매이지 않는 개성을 연출하여 타임지 선정 100인에 아티스트 부문 1위에 선정되고 2012년 트위터 팔로워 2,500만으로 세계 1위 등극한 그녀가 내뱉는 말은 동시에 명언이 되어 전 세계로 퍼진다.

소리와 이미지에서 끊임없이 다른 모습을 보여주며 스스로 '해방'하는 것이라고 주장하는 레이디 가가. '저스트 댄스' 발표 후 빛을 못 보자 대중이 아닌 팬 집단 대상으로 마케팅하여 성공한 그녀에게 애시당초 한계 따위란 없었다. 한계란 어디까지나 자신의 생각에서 만든 벽에 불과하다. 성공하지 못한 사람들의 공통점은 “자신은 여기까지가 한계다.” 라고 스스로 벽을 만들어 자신의 한계를 만드는 사고패턴이 있다. 어떤 일이든 파고 들어가다 보면 여기가 한계인가 하는 곳이 나타나게 마련이지만 실제로 한계라고 느끼는 순간 이미 한계는 없어진다. 애시당초 세상에 한계란 없기 때문이다.

스포츠 세계에서 인간의 한계에 도전한다고 하지만 '한계기록'이라는 것은 존재하지 않는다. 단지 '최고 기록'만 있을 뿐이다. 원래 인간에게 최고는 있어도 한계가 없기 때문에 한계라는 말을 쓰고 싶어도 쓰지 못하기 때문이다. 어려운 벽에 부딪치더라도 사람은 수단과 방법을 가리지 않고 노력하거나 한계를 돌파한 사람들이 취한 행동을 연구하여 자신에게 적용하면서 더 나은 능력을 발휘하여 새로운 최고를 만들어 낼 수 있는 것이다.

만일 벽에 부딪치더라도 한계라는 생각만 버리면. 얼마든지 새로운 최고를 향해 매진할 수 있다.

당신은 스스로가 만든 한계의 벽에 갇혀 있습니까?

아니면 벽을 부수고 새로운 최고를 향하고 있습니까?

20. 새들은 날 수 있다고 생각하기 때문에 날아다닙니다

- 베르길리우스 -

확실히 생각해 보면 이상하게 납득이 가는 말이다. 물론 인간은 날 수 없다고 생각하지만, 새도 처음부터 그랬을 것이다. 즉, 새가 태어났을 때 하늘을 날아본 적이 없었기 때문에 나는 법을 몰랐다면 스스로 날 수 있을지 의심스러웠을 것이다. 하지만 새는 '나는 날 수 있다'고 믿었고, 그것이 새가 날개를 퍼덕이기 시작한 이유라고 생각한다. 베르길리우스는 고대 로마의 시인이다. 단테 신곡에서 단테를 안내하는 사람으로 나온다. 고대 로마는 2,000년 전이었다. 그때 한 오래된 말이 아직도 '그렇구나'라고 생각하게 만든다는 것은 인간이 그만큼 변하지 않았다는 뜻이기도 하다. 분명히 새는 날 수 있다는 것을 의심하지 않을 것이다. '아, 나는 날 수 없어, 아무도 나는 법을 가르쳐 주지 않아서'라고 생각하면 아기새는 둥지를 떠날 수 없을 것이다. 근거는 없지만 분명 날 수 있을 거야! 그런 가정이 없으면 높은 곳에서 날아가는 것이 무서울거다. 근거 없는 자신감이나 낙관적인 느낌을 갖는 것이 중요하다는 이치다. '분명 안 될 거야' '어차피 무리야'라고 생각하면 무리다. 기어다니기 시작하더니 걷기 시작한다고 생각하는 아기를 생각해 보자. 몇 번이나 일어나려고 하고, 비틀거리고, 넘어지지만, 일어나서 다시 가려고 하지 않는가? 그들은 결국 목적지에 도착한다. 바로 이것이 '할 수 있다고 생각하기 때문에 할 수 있다'는 사례이다. 그들은 형들처럼 일어서서 걸을 동기가 부여된다. 그들은 할 수 있다고 믿고, '내가 실패하면 어떡하지' 또는 '어쩌면 이건 나한테 맞지 않을지도 몰라'라고 생각하지 않는다. 하지만 어른이 되어서도 우리는 한 번, 두 번, 여섯 번 포기하기 전에 얼마나 자주 무언가를 시도할까요? 직장에서 우리가 정말로 원하는 승진이나 당신이 정말 잘할 것이라고 믿는 직업에 대해 생각해 보자. 꿈이 과거로 사라지기 전에 얼마나 자주 물어볼 것인가? 내면의 목소리와의 연결을 잃어버리면 할 수 있다는 믿음이 할 수 없다는 부정적인 대화로 바뀐다. 실패에 대한 두려움이 슬그머니 끼어든다. 결국, 어떤 일에서든 성공하는 사람은 할 수 있다고 생각하는 사람이다. 작은 요트 하나로 단독 세계일주에 성공한 제시카 왓슨(Jessica Watson)도 자기 懷疑의 순간에 직면할 수 있었지만, 그녀는 자신의 내면의 목소리를 듣고, 스스로를 추스르고 앞으로 나아갔다. 대부분의 사람들이 '할 수 없다'고 생각하기 때문에, 긍정적인 태도를 유지하고 내면의 노력을 기울이는 극히 소수만이 정상에 오르는 길을 찾는 것이다.

21. 항상 태양으로 얼굴을 향하고 있으면 그림자를 볼 일이 없습니다

- 헬렌 켈러 -

농아이자 맹인으로 3重苦를 겪으면서도 마음씨 고운 가정교사 애니 설리번(Annie Sullivan)의 사랑과 헌신으로 글 쓰는 것은 물론 말하는 것까지 배운 헬렌 켈러 여사. 그녀는 오로지 만지고 맛보고 냄새 맡을 수 있는 세 가지 감각으로만 살아가면서도. 세계적으로 유명한 시인, 작가, 연설가가 되어 전 세계 몇백만 명이 넘는 눈, 귀, 입이 부자유스런 사람들에게 큰 격려가 되는 인물이 되었다. 아주 심한 장해를 입고 있어도 그것에 낙담하지 않고 희망을 가지려는 마음을 갖게 한 인물이다

두 살 때 병을 앓고 그 후유증으로 볼 수도 없고, 듣지도 못하고, 나아가 말도 할 수 없게 된 헬렌 켈러를 마음씨 고운 가정교사 <앤 샐리번>

은 사랑과 헌신으로 삼중고를 넘어 글쓰는 것은 물론 말하는 것까지 배우게 한다. 그녀는 헬렌 켈러가 심한 장애에도 낙담하지 않고 희망을 가지려는 마음을 갖게 한 인물이다. 헬렌 켈러의 자서전에서 그녀가 어떤 사건 이전의 삶과 그 이후의 삶이 헤아릴 수 없는 엄청난 차이를 가져왔다고 술회하고 있는데 그 사건이 바로 앤 샐리번 가정교사가 집에 온 날이며 자신이 7살이 되기 3달 전인 1887년 3월3일이었다고 말한다. 그녀는 자서전에서 앤 설리번 교사가 집에 올 당시 자신의 심리 상황을 다음과 같이 묘사하고 있다.

" 선생님은 물이 뿜어져 나오는 펌프 밑에 내 손을 갖다 놓았다. 차가운 물이 한 손 위로 쏟아지는 가운데, 선생님은 다른 손 안에 'W-A-T-E-R" 라는 단어를 천천히 다음에는 빠르게 써 주었다. 나는 가만히 서서 온 신경을 선생님의 손가락 동작에 집중했다. 마침내 언어의 비밀이 내게 몸을 드러낸 순간이었다. 그러면서 나는 'W-A-T-E-R' 라는 단어가 손 위로 쏟아지는 놀랍고 차가운 물질을 뜻한다는 것을 깨달았다. 이 살아 움직이는 단어가 내 영혼을 깨우면서 빛과 희망, 기쁨, 그리고 자유를 선사했다. 우물집을 떠나면서 나는 배움의 열망으로 가득 찼다."[18]

헬런 켈러의 명언에는 늘 사랑이 담겨 있다. 부드럽고 마치 자신을 감싸주는 듯한 따뜻한 말로 사람들에게 힘을 준다.
그림자가 지는 것은 태양의 반대 방향이다. 즉 태양으로 얼굴을 향하고 있는 동안에는 그림자는 등 뒤에 있게 된다. 희망의 빛을 보고 있으면

---

18) 헬렌 켈러 자서전

절망의 그림자는 보이지 않는다는 의미이다. 아니면 계속 웃는 동안에는 울적한 마음이 들지 않는다는 말이기도 하고... 혹 지금 고민하고 있는 사람이 있다면 그림자만 바라보지 말고 얼굴을 들어 태양을 바라보면 반드시 마음이 편해진다.

오늘의 절망에 막막해하기보다는 내일 찾아올지도 모를 희망을 생각하는 편이 나으니까.

" 나는 자신의 장애를 신에게 감사합니다. 왜냐하면 내가 나 자신을 찾고 일생의 일 그리고 神을 발견하게 된 것도 이 장애를 통해서 가능했기 때문입니다"[19]

19) 전게서

22. 인간은 너무 일을 많이 해서 망가지기보다는 너무 쉬어서 녹슬어 망가지는 쪽이 훨씬 많다

-커넬 샌더스 -

전 세계적인 패스트푸드점 KFC의 창시자 커넬 샌더스 옹(翁) (Colonel Sanders)의 본명은 Harland David Sanders이다. 커넬은 켄터키州에서 크게 공헌한 사람에게 주어지는 명예 칭호인데 우리에게는 오히려 이 호칭에 익숙하다. 인디아나 州에서 태어난 그는 6세에 부친을 잃고 15세에 사회에 나와 일하기 시작하여. 노면전차 차장부터 군대, 소방사, 보험설계사, 타이어 판매 등 여러 직업을 거친 후 주유소를 경영하면서 코너에 샌더스 카페를 창업한다. 이때 만들어 낸 프라이드 치킨으로 대

박을 터트리고 이로 인해 켄터키 주지사로부터 커넬의 칭호를 얻게 된다. 유명한 그의 11종류의 양념 레시피가 만들어진 것도 이때였다. 그러나 식당 앞에 고속도로 건설되면서 고객이 격감하기 시작하여 다시 빈털터리가 되었다. 65세인 그에게 남은 것은 달랑 '프라이드 치킨 조리법'뿐이었다. 그럼에도 그는 눈에 보이지 않는 이 조리법을 자산으로 삼아 다시 재기할 것은 결심하고 웨곤에 압력솥을 싣고 '프라이드 치킨 조리법을 가르쳐줄 테니 매상에 일부를 달라'고 전국을 다니기 시작한다. 수중에 돈이 있을 리 만무한 그는 차에서 잠자고 데모용 프라이드 치킨으로 간신히 끼니를 해결하면서 방문을 계속하여 무려 1,009사에서 거절당한 후 마침내 1,010번째 회사와 프랜차이즈 계약을 맺게 된다. KFC 1호점이 탄생한 것이다. 지금은 전 세계에서 2만 3,000여 개의 매장이 있는 세계적인 기업이 된 것은 잘 아는 이야기이다.

이 명언은 10대에서 일을 시작해서 90세로 세상을 떠날 때까지 평생 현역으로 살아온 그의 생각을 대표적으로 표현한 것으로 이 글을 읽는 많은 사람들에게 평생 현역에 대한 용기와 희망을 주고 있는 명언으로 우리에게 아주 친숙한 글이다.

" (결코 은퇴를 생각하지 않고 가능한 한 일을 계속할 겁니다) 인간은 너무 일을 많이 해서 망가지기보다는 너무 쉬어서 녹슬어 망가지는 쪽이 훨씬 많습니다.'

흔히 60세 65세의 나이는 은퇴를 생각하는 나이다. 아직도 우리 머릿속에는 그 나이까지 일했으면 그만 쉬어도 된다는 의식이 남아 있다.

그러나 커넬 샌더스의 삶을 접하면 '쉰다'는 것에 대한 생각이 무색해진다. 그는 평소에도 '사람의 연령이란 자신이 느끼는 감정이나 생각으로 정하는 법'이라고 하면서 '나이가 몇 살이 되어도 할 수 있는 일은 얼마든지 있다'고 몇 번이고 반복하면서 강조했다고 한다. 실제로 은퇴에 대해 묻는 질문에 '가만히 있다가 녹슬어가기보다는 몸이 가루가 되도록 일하는 게 낫다 (또는 닳아서 뭉글어지는 게 낫다)'고 잘라 말할 정도였다. 65세 이후의 제2 인생의 시작, 7전 8기의 정신 등 그의 삶은 우리에게 많은 점을 시사하고 있지만 특히 그에게서 배울 점은 봉사 정신이다. '최고로 봉사하는 자가 최고의 이익을 얻는다'는 것이 그의 일관된 motto다.

우리가 일한다는 것의 근저에 깔린 생각은 '생활의 방편'이다. 살아가기 위해서는 돈이 필요하니 일을 한다는 것이지요. 그런데 곰곰이 생각해 보면 타인이 자신에게 돈을 건낼 때에는 그에게 가치 있는 것을 우리가 제공했을 때가 아닐까요. 아무것도 해주지 않았는데 돈을 건낼리 만무하니까요. 여기서 타인은 사회일 수도 있고 커뮤니티나 지역, 또 조직이나 개인이기도 하다.

'커넬 샌더스의 가르침'이라는 책을 쓴 中野 明씨는 그의 저서에서 이를 세간(世間)이라고 표현한다. 즉 세간에 대해 무언가를 공헌하고 그로 인해 '감사하다'는 의미로 돈이 건네진다는 것이다. 결국 돈을 번다는 것은 세간에 공헌한다는 것이며 그 속에는 세간으로부터 감사를 받는다는 의미가 들어있다. 그러므로 돈을 벌려고 하면 세간에 대해 무엇으로 공헌할 것인가를 생각하는 것에서부터 출발한다는 것이 커넬 샌더스의 사고방식이라 하겠다.

실제로 그는 식당을 경영할 때 객석을 다니면서 고객이 만족스러운가를 여쭈어보면서 '제 요리가 맛이 없으면 돈을 안 내셔도 됩니다'고 했다고 한다. 그는 거기서 멈추지 않았다. 74세에 자신의 프랜차이즈 권리를 매각한 후 전 세계 가맹점이 자신이 생각하는 품질로 제공되어 고객에게 행복을 전달하고 있는지 자신의 눈으로 확인하고자 전 세계를 여행하게 되는데 그가 90세에 죽을 때까지 이 여행은 멈추지 않았다고 한다. 이처럼 맛에 대한 자신감과 환불을 선언한 품질에 대한 고집으로 고객에게 행복을 전달한다는 hospitality의 정신을 강조한 커넬 샌더스이다. 대성공을 이루고도 조금만 시간적 여유가 생기면 자선 활동을 하면서 고아원 아이들을 위해 매일 아이스크림을 만들어 내는 일을 해온 봉사 정신,'사람을 행복하게 하는 일에 은퇴란 없다'고 생각한 그는 자신의 생각대로의 삶을 인생 마지막 순간까지 실천한 인물이라 할 수 있다.

실업, 구조조정, 노후 불안 등 온통 어두운 소식만 들려오는 지금의 우리나라의 청년, 중장년층에게 평생 현역의 삶이 무엇인가? 일한다는 것, 돈을 번다는 것이 어떤 것을 의미하는지? 인생에 있어 시련이란 자신에게 무엇을 의미하는가? 그리고 나이가 많은 것에 대한 사회의 편견에 막막해하는 사람들에게 커넬 샌더스는 자신의 삶을 통해 생생하게 그 해답을 알려주고 있다.

23. 당신이 쓰러진 것에는 관심이 없다. 거기서 다시 일어섰는가에만 관심이 있다

- 아브라함 링컨 -

아브라함 링컨(Abraham Lincoln)은 미국의 16번째 대통령으로 재직. 그는 남북전쟁이라는 거대한 내부적 위기로부터 나라를 이끌어 벗어나게 하는 데 성공하여 연방을 보존하였고, 노예제를 끝냈다. 지금 소개하는 명언은 그의 삶을 돌아보면 충분히 이해할 수 있다.

아버지는 가난한 구두 수선공으로 학교는 1년도 안되는 9개월밖에 다니지 못함.

그가 9살이 되었을 때 어머니를 여의고

22세에 사업을 시작했지만 실패.

23살때 주의원에 출마했지만 낙선

25세에 다시 사업을 시작했지만 실패하여 17년 동안 빚을 갚음

26세에 애인의 죽음을 맞아 27세에 신경쇠약과 정신분열증에 시달리면서도 같은 해에 변호사 시험에 합격함. 노동으로 자나 깨나 일했던 경험, 변호사 활동으로 얻은 견문 등 그런 경험으로 인해 접을 수 없는 꿈과 격한 의지를 키워 정계에 입문

29살에 주의회 의장 선거에 나섰으나 낙선

31세에 대통령 선거위원에 나섰으나 실패

34세에 하원의원 출마했으나 또 실패

37세에 하원의원 당선하였으나

39세에 다시 낙선

46살에 상원의원에 출마했으나 실패

47세에 부통령으로 출마했으나 실패

49세에 다시 상원의원에 출마했으나 또 낙선

드디어~~~~~~~~~~~~51세에 미국 대통령이 되다

링컨을 연구하는 사람들은 링컨이 공식적으로 실패한 회수가 27번이라고 한다. 그의 생애를 통해 배울 수 있는 교훈 2가지. '빨리 실패하라' '목표가 아니라 목적'을 가지라는 것이다. 실리콘 밸리의 사업가들이 말하는 '실패하며 전진하기'와 같은 의미다. 이 개념은 실리콘 밸리에서의 비지니스의 기본으로 여겨진다.

내가 만약 ______ 에 성공하고 싶다면

나는 먼저 ______ 를 실패해야 한다

빠르게 실패하기를 보다 더 잘 이해하기 위해 예시를 든다. 훌륭한 뮤

지션이 되고 싶다면 먼저 엉망인 음악을 수없이 작곡해야 한다. 소설을 한 권 쓰고 싶다면 먼저 하찮은 이야기를 써 봐야 한다. 훌륭한 테니스 선수가 되려면 우선 수많은 경기에서 패배하는 경험을 해야 한다. 용감하고 능숙한 암벽등반가가 되려면 우선 소심하고 어설픈 등반가가 되어야 한다. 그렇다면 링컨의 경우는 '대통령이 되려면 선거에서 수없이 낙선해야 한다'이다. 당연히 링켠은 실패했고 링컨은 실패할 때마다 실패에 정면으로 맞서며 꿈을 더 높이 가졌다. 좌절할 때마다 더 높은 목표를 세웠다. 무엇이 이를 가능하게 했는가? 그것은 국가에 대한 사랑이었다. 보통 사람이 통치하고 있는 주(州)가 모여 합중국이 된 것에 대한 깊은 애정을 갖고 있었으며 자신과 같은 가난한 통나무집에서 태어난 서민이 대통령이 될 수 있는 그런 나라에 대한 자부심이 컸다고 한다. 대통령이 되려는 목표가 아니라 사랑하는 나라를 구하려는 목적이 그의 원동력이 되어 도전한 것이다. 노예해방 선언에 의한 흑인 노예의 해방도 사랑하는 나라를 위해 필요하기 때문에 불굴의 정신으로 일을 추진했다.

나는 한가지 애절한 바램을 가지고 있습니다. 그것은 내가 이 세상에 살다 갈 때 조금이라도 세상을 좋게 했다고 인정받을 수 있을 때까지 살아있고 싶다는 것입니다.

그는 그의 바램을 이룬 것 같다. 역대 대통령 중에서 가장 칭송받는 대통령이니까 말이다.[20]

---

20) 매년 학자들의 추천으로 뽑는 역대 대통령 Top 3 안에 항상 들어간다고 한다

24. 나는 맹인이 약점이라고 생각하지 않는다 오히려 인생의 본질 같은 거라고 생각한다 생각하는 방식 사용방식에 따라 인생이 좋기도 나쁘기도 하다

- 스티브 원더-

미국 가수 스티비 원더는 맹인이라는 콤플렉스를 긍정의 힘으로 극복했다. 출생 후 곧 눈이 보이지 않았지만 더욱 발달된 청각을 강점으로 삼아 가수와 작곡가로서 큰 성공을 거둔 것이다. 총 22개 부문에서 그래미 상을 수상한 수상 회수가 가장 많은 남성 솔로 가수가 되었다. 그런 그가 자신의 팜플렛에 대표적으로 게재한 명언이 바로 이 명언이다. 원문은 앞뒤로 조금 이어진다.

인생이란 결코 좋은 면만으로 가득차 있지 않지요. 당신도 그렇지요? 좋은 면 나쁜 면으로 인생이 성립되는 것 아니에요? 나는 맹인이 나쁜 면이라고 생각하지 않아요. 오히려 **인생의 본질 같은거라고 생각합니다. 생각하는 방식 사용방식에 따라 인생이 좋기도 나쁘기도 하지요**. 역으로 눈이 보이는 것도 마찬가지로 생각하는 방식 사용하는 방식에 따라 인생이 좋기도 하고 나쁘기도 하는 법이잖아요。[21)]

스티비 원더는 맹인이라는 콤플렉스를 긍정의 힘으로 극복했다. 사람들은 흔히 자신에게 없는 능력에 대해서는 한탄을 늘어놓지만, 자신이 가지고 있는 내면의 능력을 찾으려 애쓰거나, 자신이 갖고 있는 능력을 더욱 개발하려는 노력은 소홀히 한다. 다른 사람들의 재능을 부러워하지 말고 자신에게 어떤 능력이 있는지 곰곰히 생각해 보자.
스티브 원더에게는 다음과 일화가 있다. 시각장애인 아이가 있었다. 그 아이는 반에서 따돌림을 받아 늘 외롭고 힘없이 지내야 했다. 그러던 어느 날, 수업 중인 교실에 쥐가 한 마리 나타났는데 어디로 숨었는지 도무지 보이지 않았다. 그러자 선생님은 그 아이에게 그만의 특별한 청력을 사용하여 숨은 쥐를 찾아보라고 했다. 그 아이는 귀를 기울였고 마침내 쥐가 숨은 곳을 알아내었다. 쥐 소리는 교실 구석의 벽장에서 새어 나오고 있었다. 수업이 끝난 후 선생님은 그 아이를 불러 이렇게

---

21) Stevie Wonder & Wonder Love Japan Tour '82 팜플렛에서 발췌

말했다. "넌 우리 반의 어떤 친구도 갖지 못한 능력을 갖고 있어. 네겐 특별한 귀가 있잖니!" 하고 그를 격려했다. 그 격려의 말 한마디가 이 아이의 인생을 바꾸어 놓았다. 그 아이는 음악을 좋아했다. 그 일로 아이는 라디오에서 나오는 음악을 늘 들을 수가 있었다.

이런 환경 가운데서 아이는 곧 자신의 재능을 발휘하였고 불과 11살 나이에 첫 앨범을 발표하였다. 이 아이가 바로 "I Just Called To Say I Love You"라는 곡을 세계적으로 히트시킨 '스티비 원더'다.

스티비 원더는 탁월한 청력이 있기 때문에 무슨 얘기든 한번 들으면 그것을 금방 노래로 만들어 부를 수 있었다. 생활하는 데도 전혀 불편이 없었다. 일화 속에서 단점을 장점으로 승화시킨 이유는 선생님의 따뜻한 말 한마디 때문이다. 이로 인해 일생을 바꿀 수 있는 계기가 된 것이다. '시각 장애'라는 단점에 실망하기보다는 있는 그대로 받아들이고 남들보다 뛰어난 청력을 활용해 자신만의 노래를 만들어 유명한 음악가가 된 것이다. 스티비 원더의 어머니 룰라도 교육에 한몫하였다. 스티비 원더가 장애를 가졌다고 해서 다른 형제들과 차별하여 싸고돌거나 잘못을 봐주거나 하지 않았다. 도리어 장애를 가졌기에 더욱 바르고 내면이 강한 사람으로 키우고자 했다. 이러한 교육을 통해 꿋꿋한 사람으로 자랐기에 스티비 원더는 어린 나이에 시작한 연예계 생활을 잘 견뎌낼 수 있었다. 잠깐잠깐 실패하고 좌절도 겪었지만 한 번도 넘어진 채 그대로 울고만 있지 않았고, 언제나 보란 듯이 다시 일어나 정상을 향해 치열하게 달려 거장의 반열에 오를 수 있었다.

25. 포기하지 않는다면 아직 이길 기회가 있습니다 포기하는 것은 큰 실패입니다

- 마윈-

거절... 거절... 거절... 어디를 가든 이 말을 들으면 대부분의 사람들은 인생에서 다시 일어설 수 없을 것이다. 그러나 그것을 아주 멋지게 물리치고 세계 비즈니스에서 역사를 만든 사람이 있다. 그는 뉴욕 거래소에서 가장 큰 IPO 오프닝으로 알려진 사람이며 B2B 트래픽이 많은 웹사이트를 운영하고 있다. Alibaba.com 마법의 남자는 마윈 (JACK MA)이다. 중국 기업가인 그의 순자산은 약 424억 달러다.

그의 인생에서 30개의 지원 직업 중 30개의 직업에 선발되지 않았던 때가 있었다. KFC는 24명 중 이 1명을 거부했고, 하버드 경영대학원에서도 10번이나 거부했다. 그러나 그는 다시 일어서서 자신의 삶의 방식을 만들었고 오늘날 그는 성공의 본보기가 되었다.

그는 1964년 10월 15일 중국 저장성에서 태어났다. 그는 중학, 고교 모두 3류 아니 4류 학교에 진학. 고교 수험에도 2번 실패. 대학도 두 번 떨어져 삼수를 한다. 간신히 항저우 사범 대학을 졸업했다. 그러나 그는 영어는 할 수 있다는 강점이 있었다. 영어 학교에 다닐 돈이 없었던 그는 집에서 약 60마일 떨어진 관광지의 호텔에서 9년간 외국인과 대화하면서 영어 실력을 익혔다. 거기서 그의 가장 친한 친구가 된 외국인의 이름인 "잭"도 얻었다. 나중에 그는 중국의 한 영어 학교에 취직, 영어를 가르치기도 했다. 그는 대학에서 Zhang Ying을 만났고 나중에 그녀와 결혼하여 현재 두 아이의 부모가 되었다.

1994년 직장에서 미국 연수 중이던 그는 인터넷을 만나게 되었다. 그는 아내의 도움으로 자신의 웹 사이트 회사를 시작할 생각이었고 21,000달러를 투자했다. 그것은 중국 옐로우 페이지였으며 향후 3~4년 동안 85,000달러를 벌었다. 그는 일어서기 전까지 무려 40개 사를 창업해서 실패하였다.

1999년 말, 그는 Alibaba를 설립하고 전자 상거래에서 현지 시장을 성장시키기를 원했다. 몇 년 후 그는 이 회사를 세계에서 가장 가치 있는 기술 회사로 만들었다. 뉴욕 증권 거래소의 IPO에 상장되었으며 250억 달러 이상을 모금했다. 오늘날 알리바바의 시가총액은 2,010억 달러(2023)로 전자 상거래, AI, 소매, 기술, 인터넷 및 온라인 결제 게이트웨이를 취급한다.

마윈은 중국 사업가일 뿐만 아니라 훌륭한 성격의 소유자이기도 하다. 그는 또한 투자자이자 동기부여 연설가이다. 그의 동기부여에 의해 수

많은 사람들이 삶을 개선했으며 그 수는 증가하고 있다. 잭은 또한 쿵푸, 춤, 노래를 배우기 시작했다. 그는 또한 Forbes, Fortune 등과 같은 많은 잡지에 실렸다

알리바바 그룹은 2004년 이후 매우 인기를 얻었다. 이베이는 알리바바 그룹의 타오바오 마켓 플레이스를 인수하고 싶어 했다. 잭은 이 제안을 거절했다. 그는 많은 대학에서 동기 부여 연설을 하도록 초청받을 정도로 큰 인기를 얻었다. 이러한 대학 중 일부에는 펜실베니아 대학교, 매사추세츠 공과 대학, 하버드 대학교 및 베이징 대학교가 포함된다.

마윈은 동기 부여, 성공 및 비즈니스에 대한 수많은 명언을 남겼다. 그의 명언은 비즈니스에서 동기 부여의 훌륭한 원천이다. 그는 우리가 결코 포기하지 말고 항상 어려움에 직면하면 그것을 제거해야 한다고 말한다. 최근에 그는 2019년에 은퇴하고 교육에 헌신할 것이라고도 밝혔는데 앞으로 어떤 길을 걷게 될 지 그의 행보가 궁금하다.

가난한 사람들은 공통적인 하나의 행동 때문에 실패한다.
그들의 인생은 기다리다 끝이 난다.
그렇다면 현재 자신에게 물어보라.
"당신은 가난한 사람인가?"

26. 나는 신체적 장애로 인해 삶이 좌우되지 않아 이딴 것쯤 나을 수 있다고 생각하고 있으면 희망은 언제나 그곳에 있지

- 크리스토퍼 리브 -

"나는 낚싯바늘에 걸려 파닥거리는 물고기 한 마리!"

"오, 내가 차라리 한 마리 쥐였더라면!"

미국영화 '슈퍼맨'의 주인공역으로 유명한 배우 크리스토퍼 리브가 사고로 온몸이 마비되자 외친 절규다. 1952년생인 그는 사고 이후 보여준 삶으로서 진정한 영웅으로 세계인에게 각인이 되었다. 슈퍼맨은 1932년

고교 동창인 제리 시걸과 조 슈스타가 만든 만화로 영화, 연극, TV 드라마 등으로 인기를 끌었지만 많은 사람이 '슈퍼맨' 하면 크리스토퍼 리브를 떠올린다. 리브는 데일리 플래닛 신문의 어리숙한 기자 클라크 켄트와 망또를 걸친 영웅 칼 엘 모두에 잘 어울렸다. 리브는 193㎝ 신장으로 사각형 턱과 벌어진 어깨까지 만화 속 슈퍼맨의 모습과 흡사하다. 그런데 1995년 승마대회에 출전했다가 낙마 사고로 목뼈와 척추를 다쳐 전신마비 장애인이 됐다. 하지만 좌절하지 않고 혼신의 힘을 기울여 재활에 힘썼으며, 장애인 인권운동에 뛰어들어 '진정한 슈퍼맨'이란 찬사를 받았다. 그는 재활과정 중 대소변도 가릴 수 없고, 산소 호흡기 없이는 숨도 못 쉬는 무기력한 존재로 전락해 버린 자신의 모습에 절망하여 차라리 죽는 것이 낫겠다고며 호흡기를 빼달라고 의사에게 부탁하기도 했다. 절망에 빠진 그를 살린 것은 "아직도 당신이에요, 두뇌가 살아있는 한 당신은 아직도 그대로 당신(Still you)이니, 제발 살아만 있어 주세요"라는 아내의 한마디였다. 그 후 크리스토퍼 리브는 아내의 깊은 사랑과 헌신으로 '장애가 내 삶의 방식을 결정짓게 내버려 두지 않겠다'고 다짐하며 재활 의지를 불태웠다. 1999년에는 회고록 「Still me」를 출간했고, 2000년에는 둘째 손가락을 움직일 수 있게 된 것을 시작으로 신체 70% 이상의 감각을 되찾게 되었다. 인공호흡기 없이 혼자 힘으로 숨을 쉬고, 대롱에 입김을 불어 전동 휠체어를 몰고 다니며, 2003년에는 보행기에 의지한 채 걸음마에 성공했다는 보도도 있을 정도로 불굴의 의지를 보였다. 이뿐 아니라 그는 휠체어에 묶은 채 모니터와 마이크를 통해 연기를 지시하면서 영화감독을 해냈고, TV 영화 '異窓 rear window'에 휠체어에 앉은 사진기자 역을 맡아 '얼굴 연기만으로도 충분히 감동적'이라는 찬사를 받아냈다. 2004년 죽음에 이를 때까지 척수 손상에 관한 미국 마비협회 컨소시엄의 감독위원회 위원장직, 캘리포니아 주립대학교에 척수손상 재생을 위한 「리브 어바인 연구소」를 설립하였으며 척수 연구기금 모금행사 등을 주최하는 등 미국과 전 세계 척수 장애인들의 대변자가 되어 왕성한 활동을 펼쳤다. 자신의 장애와 고통을 동병상련을 겪는 많은 이들의 고통치유로 승화시킨 것이다.

크리스토퍼 리브는 바로 여기, 바로 지금 슈퍼맨입니다. 리브는 성장과 발전에 대한 강력하고 지속적인 헌신의 힘, 가능성 및 결과를 보여줍니다. 하나님의 도움으로 Reeve는 다음과 같은 이유로 슈퍼맨이 되었습니다.

1. 그는 승마 사고에서 살아 남았고 수개월 동안 고통스러운 물리 치료를 받는 동안 신체적으로 도전했습니다.

2. 그는 사랑하는 남편과 행동하는 아버지로서 자신의 역할에 전념했기 때문입니다.

3. 그는 모든 희망을 파괴하는 부상과 마비에도 불구하고 희망을 가졌습니다.

4. 그는 하나님께서 여전히 그가 할 일이 있다는 결론에 이르게 하셨습니다.

크리스토퍼 리브는 마비에서 초점을 돌리고 그가 어떻게 새롭게 살 수 있는지 알아내기 시작했습니다. 리브는 많은 사람들이 그의 이야기를 듣고 싶어 할 것이라고 생각했습니다. 리브는 자신의 이야기를 편집할 수 있는 편지, 책 및 비디오로 제한하는 대신 강의 순회를 선택했습니다. 그것은 공개적으로 나타나서 대중에게 그의 상태에 대해 이야기하고 배운 교훈을 공유하도록 하는 것을 의미했습니다. 따라서 크리스토퍼 리브는 실제로 슈퍼맨이 되었습니다. [22]

---

22) Jonathan D. Keaton 감독의 설교에서 Go Make A Life

27. 가장 가혹한 형벌은 전혀 무익하고 무의미한 일을 하게 하는 것이다

- 도스토옙스키 -

이 명언은 사상범으로 체포되어 사형선고를 받은 후 형 집행 직전에 사면으로 시베리아 유형에 처해진 저자가 4년간에 걸친 귀중한 옥중 체험과 견문을 기록한 『죽음의 집의 기록』에 나오는 글이다.

" 가장 흉악한 살인마마저 부들부들 떨면서 그것을 듣기만 해도 기절할 정도로 무시무시한 형벌을 가해 두 번 다시 일어서지 못하도록 뭉게버리고 짓밟아 버리고 싶다면 **전혀 무익하고 무의미한 일을 하게 하는 것이다**... (중략) 그런데 물은 한 수통에서 다른 수통으로 옮기고 다시 원래대로 옮기거나 흙을 한 장소에서 다른 장소로 그리고 원래 장소로 다시 옮기는 작업을 시키면 죄수는 누구라도 4~5일을 못 버티고 고개를 절래 흔들거나 설사 죽더라도 이런 굴욕과 고생에서 벗어나는게 낫다고 자포자기해서 머리를 돌에 박을지도 모른다." 23)

노벨경제학상 수상자 밀턴 프리드먼이 개도국 공사 현장에서 수많은 노동자들이 불도저 같은 대형 굴삭기가 없이 삽으로 땅을 파고 있는 것을 보고 “왜 그렇게 하느냐”고 묻자 “고용 창출 때문”이라 답하는 것을 듣고는 “그렇다면 왜 삽을 줬어요. 차라리 숟가락을 주지.”라고 했다는 기사를 보았다. 필자는 그 기사를 보는 순간, 프리드먼이 한 말의 진정한 의미는 '숟가락으로 의미 없이 땅을 파는 일이 고용 창출이 아니라 무익하고 무의미한 일을 반복시키는 것이 얼마나 지옥같은 형벌인지, 두 번 다시는 일어서지 못할 정도로 한 사람을 짓밟아 버리는 무시무시한 형벌인지..' 도스토옙스키의 글을 연상해서 말한 것은 아닐까 하는 생각이 문득 들었다. 앞서 소개한 '죽음의 집의 기록'에서 도스토옙스키는 수형자들이 자신이 하는 일의 의미 부여를 위해 다음과 같은 행동을 한다고 기록하고 있다.

" 수형자들은 몰래 도구를 가지고 들어와 일을 시작했다. 아무것도 모르는 수형자라도 수형자 중에서 구두방 주인, 지물포 주인, 금은 세공사, 도금사 등에게서 일을 배워 한 사람의 훌륭한 기술자가 되었다. 그리고 동네에서 몰래 주문을 받아 돈을 벌기도 했다. 아마 일이 없었다면 동료들은 병 속의 사마귀처럼 서로 죽이려고 했을 것이다. 불시의 검문으로 규제된 물품을 뺏기면 다시 도구를 보충해서 원래대로 다시 일을 시작했다. 수형자들은 감옥 생활에 이런 식으로 의

23) 죽음의 집의 기록, 제2장 '최초의 인상'에서

미를 부여했던 것이다.[24)]

같은 방식의 노동이라도 타인과의 약속만 있으면 사람은 살아갈 수 있다. 앞서 예를 든 작업, 즉 땅을 파고 메우는 것을 반복하는 작업이라도 같이 팀을 이루어 프로세스를 합리화하고 성력화(省力化)해서 의논해가면서 일해나가면 그런 프로세스를 통해 보람을 느낄 수 있는 것이다. 설사 나중에 판 곳을 다시 메우더라도 서로 노하우를 공유하고 개발해서 동료들로부터 찬사를 받거나 하면 사람은 그런 일에서도 기쁨을 느낄 수 있다. 이처럼 도스토옙스키는 무의미, 무익을 강조하고 있다. 자신이 일하는 의미나 목적을 모르고 일하는 것, 그리고 일을 해도 금전, 감사, 평가, 자기실현 등 어떤 보수도 얻을 수 없는 노동이야말로 형벌이자 최악의 노동이라고 하였다.

24) 전게서

28. 철강왕 카네기의 역경론

앤드루 카네기의 명언 # 1 "기회를 만나지 않는 인간은 없다"

기회를 만나지 않은 사람은 한 명도 없다.

그것을 기회로 만들 수 없었을 뿐이다. 빈곤 속에서도 힘든 노동 환경 속에서도 부기 공부를 계속하고, 주식 매매, 투자의 세계에 들어가 큰 성공을 거둔 앤드류 카네기. 어떤 환경에 있어도 변명하지 않고 그것을 기회로 바꾸는 노력을 계속한 그의 중량감이 있는 명언이다.

앤드루 카네기의 명언 # 2 "습관“

실패해도 성공해도, 인간이 뭔가를 달성할 수 있는지 여부는

본인의 습관에 달려 있다.

많은 성공을 이룬 앤드류 카네기. 그러나 그 이상의 실패를 거듭해왔다. 성공하든 실패하든 결과론이고, 그것을 본인이 어떻게 받아들일지는 그 판단과 습관의 축적으로 만들어진 인간의 차이가 아니겠는가.

앤드류 카네기의 명언 # 3 "그 이상"

해야 할 것과 그 이상의 것을 수행하십시오.
그러면 미래는 자연스럽게 열릴 것입니다.

평소 근무하면, 눈앞의 일에 매달려서 할 일을 하는 데에 일주일이 지나고 다른 것은 생각 못 하는 것이 일반적이다. 앤드류 카네기는 가난한 생활에 허덕이며 시간당 1달러 20센트라는 힘든 노동 환경 속에서도 부기 공부에 임해, 멋진 기회를 잡고 큰 성공을 거뒀다.
바쁘니까, 눈앞의 일이 가득하기 때문이라고 하면서 스스로 한계를 정하고 있는 것은 아닌지.. 자신에게 주어진 조건에 변명하지 않고 그 이상에 임하는 인간이야말로 성공을 잡는다. 이것이 그가 말하고 싶은 것이라고 생각한다.

앤드류 카네기의 명언 # 4 "현재에 만족하지 말라“

현상에 불만을 가지는 것은 좋은 일이다.

만약 앤드루 카네기 자신이 현재에 만족하고 난 이대로 좋다고 생각한다면, 그의 성공은 있을 수 없었을 것이다. 빈곤한 채 생을 마감했을 것이다. 그는 주변 환경에 만족하지 않고 노력을 계속하는 것이 얼마나 중요한 지 귀감이 되고 있다.

앤드루 카네기의 명언 # 5 "지연하지 말라"

지연하는 버릇이 있는 사람은 인생을 漫然하게
보내어 실패하기 마련이다.

일에서 무엇을 뒷전으로 하는가 하는 우선순위를 생각하는 것은 일을 처리할 때 중요한 개념이다. 그러나 일이 있을 때마다 지연시켜 나중에 하면 좋겠다는 생각이 버릇이 되어, 처리 시기가 애매한 상태가 된다면 이야기는 달라진다. 그 나쁜 습관은 긴급성이 있으며 조속한 결단에 의해 기회를 얻을 수 있는 일이나 사건에 조우할 때 그 기회를 쉽사리 놓치기 때문이다. 또한 이 나쁜 습관은 주체성, 적극성을 빼앗고, 단지 호흡하면서 살아가는 인생을 보내는 인간을 만들어 내는 위험이 있다. 기회를 탐욕스럽게 낚아채고 살아온 앤드루 카네기다운 명언이다.

앤드루 카네기의 명언 # 6 "빈곤이야말로 보물“

청빈한 집에서 자란 아이는 부유한 가정의 아이들과 비교하여 무엇과도 바꿀 수 없는, 소중한 보물을 부여받고 있다.

빈곤을 경험하고 사상 두 번째 부자까지 올라간 앤드류 카네기. 빈곤이라는 가혹하고 어려운 환경을 그는 보물이라는 긍정적인 것으로 받아들였다. 아무리 부정적으로 보이는 것도 받아들이는 방법에 따라 매우 긍정적인 것으로 생각할 수도 있다는 생각이야말로 역경을 극복하기 위해 필요한 발상이다.

앤드류 카네기. 기회를 탐욕스럽게 찾아, 현재에 만족하지 않고 노력을 계속한 그의 말에서 경험이 뒷받침된 무게를 느낀다. 부를 얻고 또한 사회에 계속 환원한 그 모습에서 비지니스 맨들은 중요한 것들을 배울 수 있을 것이다.

29. ”너에게는 무리“라고 말한 것은 모두 해보고 싶어

- 마돈나 -

마돈나는 미국의 가수이다. 대중음악 역사상 가장 성공한 여성 아티스트이다. 1980년대 중반부터 2000년대 중반까지 20년이 넘는 세월 동안 대중음악을 지배하는 음악가로 군림했다. 현재까지 활발히 활동 중인 살아있는 전설이며, 그 자체로 20세기 대중문화를 상징하는 인물 중 한 명이다.

현재까지 3억 장 이상의 음반 판매고를 올리며 역사상 가장 많은 음반을 판매한 여성 아티스트로 기네스북에 등재되었다. 상업성, 음악성, 영향력 등 어떤 부문에서도 모두 최정상급의 성공을 거두었기에 대중음악 역사상 가장 위대하고 영향력 있는 음악가 중 하나로 평가받는다. 또한,

그녀의 성공은 현대의 팝 아이콘으로서의 지위를 확고히 했으며 이것은 사회학적 분석의 대상이 되기도 했다. 25)

이 명언과 관련하여 마돈나의 무명시절의 에피소드를 소개한다

마돈나 19살 때이다. 어릴 적부터 댄서가 되는 것이 꿈이었던 마돈나는 미시간 대학의 무용과에 장학생으로 입학하고 매일 춤 연습에 정진한다. 그러던 어느 날, 가까운 국가에서 1년에 한 번 개최되는 '아메리칸 댄스 페스티벌'에 동경하는 안무가 펄 랭(Pearl Lang)이 오는 것을 알게 된다.

마돈나는 거기에서 자신을 어필하기로 했다.

"선생님의 회사에서 댄서를 모집하고 있지 않습니까? 만약 모집이 있다면, 꼭 나에게 기회를 주십시오!"

이때 펄 랭은 그런 마돈나에게 '뻔뻔한 건가? 도도한 건가?'라는 두 가지 상반되는 감정을 느꼈다고 한다. 펄은 마돈나에게 답한다.

"상시 모집은 하고 있지만. 잠깐...당신은 미시간에 있는 거죠?

나는 뉴욕에 있는 거야."

이에 대해 마돈나는 바로 답했다.

"어떻게든 해보겠습니다!"

이때 마돈나는 마음속에서 '좋아, 대학을 중퇴하고, 춤의 본고장 뉴욕으로 활동 거점을 옮기자' 고 결의했다.

그러자 당연히 아빠는 맹렬하게 반대했다.

"안돼! 모처럼의 대학 장학금을 날려버릴 셈인가" 라며 분노했다.

---

25) 위키피디아

그러나 마돈나는 포기하지 않는다.

" 내 인생에 참견하는 것은 그만둬주세요"라고 말하면서 먹던 스파게티 그릇을 던져버렸다. (다행히 아빠에게 맞지는 않았음)

" 누가 반대해도 나는 하고 싶어. "

19세 소녀가 부모와 떨어져 혼자 사는 데 돈이 없으니 생활이 불가능하다. 하지만 마돈나는 그런 것을 포기하지 않는다.

'앞으로 제대로 생활해 나갈 수 있을까' '돈을 벌 수 있을까?'

'정말로 활약할 수 있을까?'

'미래 걱정은 미래에 맡기자. 나는 오늘을 사는 거니까' 생각하면서 시골을 뒤로 하고 마돈나는 단신으로 비행기를 타고 뉴욕으로 향한다. (당시 수중에는 35달러만 있었다고 한다)

드디어 도착한 뉴욕에서 택시를 탄다. 뉴욕에서 택시 운전사에게 한 마돈나의 첫마디는 이러했다.

"이 도시의 한복판에 내려 주세요!"

뉴욕의 한복판, 타임스퀘어에서 내린 마돈나는 광장의 앞에 서서 선언했다. 너무 당돌한 선언에 통행인의 실소를 샀다.

"나는 이 세상에서 하나님보다 유명해질 거야!"

먼저 한복판에 뛰어들어, 되고 싶은 자신을 선언한다. 그리고 자신의 마음 한가운데에 있는 것으로 승부한다. 뉴욕에 이주한 마돈나는 즉시, 펄 랭이 운영하는 댄스 센터의 문을 두드린다.
돈이 없기 때문에, 수업 이외의 시간은 오로지 아르바이트.
타임스퀘어에 있는 도넛 가게에서 1달러 50센트의 시간당 웨이트리스.
그리고 아르바이트 이외의 시간은 언젠가 올 기회에 대비하여 춤 연습을 쌓는다. 배가 고픈데 한 푼도 없어, 뉴욕의 거리를 배회하기도 했다. 떨어져 있는 맥도날드의 포장지에는 반드시 감자튀김 음식 쓰레기가 들어있다는 교훈을 얻기도 했을 정도이다. 이렇게 약 6년간의 무명 시절을 거쳐 마돈나 24살에 드디어 가수로 데뷔한다.
관계자는 마돈나를 이렇게 말하고 있다.
"마돈나는 스튜디오에 누구보다 빨리 왔다. 어떤 뮤지션보다 그 스튜디오에서 일하고 있는 엔지니어보다 일찍 스튜디오에 들어갔다"

전문가라고 불리는 사람들도 다들 처음에는 초보였다. 돈도 경험도 없고 실력도 부족하다. 그래서 반드시 주변에서는 가는 길을 반대한다.
그들이 가지고 있는 것은 오로지 '생각'뿐이었다.

마돈나의 성공 스토리는 이렇게 시작했다.

"내가 뉴욕에 왔을 때 나는 처음으로 비행기를 타보았다.
심지어 택시도 처음 타보았다.
주머니에 단돈 35달러만 가지고 여기 왔는데
그건 내가 그전까지 했던 모든 일 중 가장 용감한 일이었다."

30. 역경 속에서 피어나는 꽃은 가장 희귀하고 아름답습니다

- 월트 디즈니 -

영감을 주는 이 명언은 인터넷에서 찾아보면 뮬란의 것으로 알려져 있다. 그러나 그것은 중국의 영웅 뮬란의 입에서 나온 것이 아니라 중국의 황제의 입에서 나온 것이다. 1998년 디즈니 영화 뮬란[26]에서 뮬란은 아버지를 대신해 잠재적인 위험으로부터 아버지를 보호하기 위해 전쟁에 나섰다. 그녀는 결국 전투를 이끌고 국가의 영웅이 되었다. 황제가 그녀를 맞이했을 때, 그녀는 궁전에서 일하라는 그의 제안을 거절했다. 그 대신, 그녀는 가족들이 있는 집으로 돌아가겠다고 고집했다. 그러자 황제는 뮬란과 나란히 싸운 장군 샹에게 "역경 속에서 피어나는 꽃은

26) 중국 남북조시대 북위 시대를 배경으로 하는 작자 미상의 설화를 바탕으로 월트 디즈니 애니메이션 스튜디오에서 1998년 제작한 장편 애니메이션 영화이다.

가장 희귀하고 아름답다"고 말했다. 그는 "모든 왕조가 이런 소녀를 만날 수 있는 것은 아니다"라고 덧붙였다.

이 명언의 의미는 영화를 넘어선다. 그것은 전 세계의 사람들이 도전에 직면했을 때 계속 나아갈 수 있도록 영감을 주었다. 역경 속에서 피어나는 꽃은 뮬란을 가리킨다. 그녀는 전쟁의 시대에 태어났다. 그리고 그녀는 자신의 것이 아닌 책임을 떠맡아야 했다. 훈련과 싸움 외에 삶을 더 힘들게 만드는 것은 그녀가 항상 남자인 척해야 한다는 것이다. 그리고 누군가에게 붙잡히면 목숨을 잃을 수도 있었다. 하지만 그녀는 도전에 맞섰다. 그리고 명언에서 말했듯이 그녀는 역경 속에서 꽃을 피웠다. 이 명언에서 말하는 역경에 피는 꽃이란 원래 중국에서 가장 일찍 피는 꽃인 매화(梅花)에서 유래했다. 이 아름다운 나무는 봄 햇살의 따스함이 빛을 발할 때까지 기다리지 않고 쿵쿵 소리를 낸다. 대신 1월부터 2월 말까지 잎이 완전히 형성되기 전인 겨울에 꽃을 피우며 눈과 얼음을 뚫고 흰색, 분홍색, 빨간색 꽃의 다양한 색조를 뿜어내며 향긋한 향기가 강하다고 한다. 그리고 추울수록 매화는 더 많이 피고 번성한다. 겨울에 피는 몇 안 되는 꽃 중 하나인 이 꽃은 인내, 힘, 헌신, 아름다움을 상징하며 본질적으로 성장 과정을 의미한다. 혹독한 기상 조건에도 불구하고 각각의 형형색색의 꽃잎은 겨울 폭풍을 뚫고 자란다. 그리고 조건이 가혹할수록 더 많은 새싹이 피어난다. 곳곳에 매화가 만발한다. 땅이 있는 곳에서는 얼음과 눈을 두려워하지 않고 자란다. 그것은 역경에 직면한 회복력과 인내의 상징이다. 1964년 중국의 국화로 지정된 이유이기도 하다.

(명언 모음 2)
페이스북 창업자 마크 저커버그의 명언 7가지

- 친구의 일일 게시물을 광고로 바꿔라 -

마크 저커버그(Mark Zuckerberg)가 대학생 시절 학생 기숙사에 있는 컴퓨터에서 개발한 페이스북은 현재 세계 최고의 소셜 네트워킹 사이트 중 하나이다. 페이스북 창업자 마크 저커버그의 명언은 웹 마케팅과 광고의 본질, 인터넷의 가치, 회사 운영 방법 등 사업가를 위한 중요한 아이디어로 가득 차 있다. 마크 저커버그의 모든 아이디어는 참신하고 유연하다.

Mark Zuckerberg가 생각하는 광고의 본질

마크 저커버그(Mark Zuckerberg)가 개발한 페이스북(Facebook)은 사람들이 소통하는 방식뿐만 아니라 광고 방식에도 혁명을 일으켰다.

Mark Zuckerberg 명언 #1 "일상적인 상호연락도 광고입니다"

기본 아이디어는 광고가 콘텐츠여야 한다는 것입니다. 광고는 본래 사이트에서 사람이 생성하는 유기적 정보여야 합니다. 인간이 생산하는 정보의 대부분은 본질적으로 상업적입니다.

"저번에 그 가게에서 먹었는데 엄청 맛있었어요" "그 가게는 다음에 세일을 하니까 쇼핑하러 가야지" 등의 일상 대화. 이러한 대화는 궁극적으로 듣는 사람들의 구매 의향을 높인다. 마크 저커버그 (Mark Zuckerberg)는 이를 가장 먼저 알아차린 사람 중 한 명이다.

Mark Zuckerberg 명언 #2 "다른 사람의 프로필도 광고하기"

누군가의 프로필을 보고 그들이 어느 브랜드를 좋아한다는 것을 알 수 있습니다. 단순히 브랜드의 광고판을 보는 것보다 더 의미 있는 일이라고 생각해요.

" OO가 이 브랜드를 좋아한다"와 같은 정보는 기업이 발행하는 광고보다 효과적이라는 것을 감각적으로 알 수 있다. Mark Zuckerberg는 Facebook 프로필 난에 "좋아하는 OO (브랜드, 영화, 책 등)"를 사용하여 이러한 현상을 잘 이용한다.

Mark Zuckerberg의 명언 #3 "신뢰할 수 있는 소개자는 최고의 광고입니다“

신뢰할 수 있는 친구의 추천보다 사람들에게 더 큰 영향을 미치는 것은 없습니다. 신뢰할 수 있는 추천은 광고의 궁극적인 목표입니다.

입소문 광고가 매우 효과적이라는 것은 이미 잘 알려진 사실이다. 다만, 일반 입소문 사이트는 익명의 사람들이 올린 정보이기 때문에 신뢰하기 어렵다는 단점이 있다. Mark Zuckerberg는 아는 사람들끼리 서로 정보를 교환할 수 있는 Facebook으로 이 문제를 해결했다.

인터넷의 가치에 대한 마크 저커버그의 견해

마크 저커버그(Mark Zuckerberg)의 명언에서 읽을 수 있는 인터넷의 가치에서 우리는 인터넷이 비즈니스에서 잘 적용하도록 하는 비결을 찾을 수 있다.

Mark Zuckerberg의 명언 #4: "인터넷은 지식 통합의 장소"

개인이 가지고 있는 지식을 끌어내고 공유함으로써 더 나은 지식으로 정리할 수 있습니다.

마크 저커버그(Mark Zuckerberg)는 인터넷을 지적 통합의 장소로 간주한다. 누구나 자유롭게 편집할 수 있는 위키백과와 같은 사이트가 일반 백과사전의 수준을 넘어서고 있다는 점을 감안하면 이는 분명한 사실이다.

Mark Zuckerberg 명언 #5 "세상은 열려야 합니다"

우리는 세상이 더 개방적일수록 더 좋다고 믿습니다. 더 많은 정보를 가질수록 더 나은 선택을 할 수 있고 세상에 더 큰 영향을 미칠 수 있습니다.

인터넷이 없던 시절에는 모든 경우에 사용할 수 있는 옵션이 거의 없었다. 이제는 많은 옵션이 있다. 예를 들어, 온라인 쇼핑을 할 때 해외 상품에 대한 정보도 검색할 수 있으며 클릭 한 번으로 쉽게 구매할 수 있다. 마크 저커버그(Mark Zuckerberg)는 **이러한 선택지의 증가가 세계 경제 경쟁의 역동성을 창출하고 산업 발전의 가속화로 이어진다고 믿고 있다.**

마크 저커버그의 페이스북 경영방침

Mark Zuckerberg의 명언 #6: "완벽보다 실행이 우선."

Facebook은 '해커 웨이(hacker way)' [27]라는 독특한 기업 문화를 조성해 왔습니다. 이것은 "처음부터 완벽을 목표로 하지 않고 빈번한 수정과 개선을 반복하는 방법"입니다. 실리콘 밸리에 있는 본사 사무실 벽에

---

27) 창조적인 문제해결과 신속한 의사결정을 중요시하는 기업문화

적힌 '완벽보다는 실행이 우선'이라는 글귀를 통해 이런 자세를 잊지 않도록 하고 있습니다.

Facebook은 새로운 기능이 추가되면서 점점 진화하고 사용하기 쉽게 되는 것은 마크 저커버그의 이러한 경영 정책 때문이다. **고객의 니즈에 따라 유연하고 빈번하게 서비스를 업그레이드하는 방식**은 다양한 사업에 적용될 수 있을 것으로 보인다.

Mark Zuckerberg의 명언 #7 "가장 큰 위험은 위험을 감수하지 않는 것입니다“

급변하는 세상에서 실패가 보장되는 유일한 전략은 위험을 감수하지 않는 것입니다.

인터넷의 출현 이후 고객의 요구는 빠르게 변화했다. 마크 저커버그(Mark Zuckerberg)는 기업들이 계속 보수적으로 운영된다면 점점 더 뒤처질 것이라고 한다. 전통적인 기업들은 종종 새로운 전략을 구현하는 프로세스가 순조롭지 않은 문제에 직면한다. 이러한 경우 그의 아이디어로 해결해보는 것도 한 방법이 될 듯하다. 그의 명언을 통해 그가 상식에 얽매이지 않고 유연하게 생각할 수 있는 상상력이 풍부한 사람임을 알 수 있다. 게다가 그는 '세상이 진정으로 원하는 것'을 찾아 신속하게 구현하는 능력을 가지고 있다. 따라서 미래 시대에 요구되는 인재는 바로 이러한 유연하고 민첩한 비즈니스 맨이라고 생각된다.

CHAPTER 3

행동

31. 인생은 자신을 찾는 것이 아닙니다. 인생은 자신을 창조하는 것입니다.

- 조지 버나드 쇼-

버나드 쇼는 근대사의 대격변기인 19세기 후기부터 20세기 중기까지 활약했던 아일랜드 더블린 태생의 작가, 극작가, 음악평론가, 사회주의자. 영국 근대연극의 선구자로 유명하며 '과부의 집(Widowers' Houses)'으로 처음 극작가로 데뷔한 후 94세로 타계할 때까지 54편의 희곡을 남겼다. 노벨문학상 수상자인 버나드 쇼는 가치, 혼돈과 욕망과 다툼의 시대를 백 년 가까이 살아가면서 자신만의 아포리즘을 만들어 나갔다.

조지 버나드 쇼(George Bernard Shaw)의 이 명언은 우리가 이미 확립된 정체성을 수동적으로 수용하는 것이 아니라 우리가 어떤 사람이 되는지를 형성하는 데 능동적으로 참여한다는 것을 암시한다.

조지 버나드쇼는 왜 이런 말을 했을까? 정말 삶이란 나를 찾아가는 과정이 아니란 말일까? 진짜 내가 어떤 사람인지 제대로 안다는 것. 그것은 중요하지 않다는 말일까? 서점에서는 나를 찾고 진정한 자아와 대면하라고 격려하는 책들로 넘쳐나고, 내가 어떤 사람인지 제대로 안다는 것이 쉽게 얻을 수 없는 선물임을 삶에 통달한 그가 모를 리 없는데 말이다. 그럼에도 그는 아니라고 한다. 그대신 인생은 나를 창조하는 것이라고 한다. 우리가 어떤 사람인지 사실 그게 크게 중요하지 않을 수도 있다. 무엇을 잘하고 무엇을 못하는지 분석하느라 소중한 시간을 허비하는 대신, 어떤 내가 되고 싶은지 방향을 정하고 그 길로 한 발자국이라도 옮기는 것이 소중한 시간을 가치있게 쓰는 것일 수 있다. 결국 내가 어떤 사람인가, 지금의 내가 어떤 모습인가가 인생 전체의 모습을 결정하는 것이 아니라, 방향성을 갖고 내딛는 발자국들이 모여 나의 인생이 만들어지기 때문이다. [28]

우리 자신을 '발견'하기 위한 여정을 시작하는 대신, 우리는 의식적이고 의도적으로 우리가 되고자 하는 사람을 만드는 데 집중해야 한다. 이러한 접근은 개인의 성장과 권한에 대한 우리의 이해를 근본적으로 바꾸어 우리의 삶을 형성하는 데 있어 자기 결정과 행동의 중요성을 강조한다. 실존주의에서는 개인이 자신의 삶의 의미와 목적을 창조할 책임이 있다고 가정한다. 그것은 우리 존재의 원동력으로서 개인의 자유와 선택을 강조한다. 이러한 맥락에서 버나드 쇼의 명언은 우리가 자신의

---

28) [명언]Life isn't about finding yourself. Life is about creating yourself. -George Bernard Shaw|작성자 그만놀자

정체성의 형성에 적극적으로 참여하도록 하기 때문에 실존주의 사상의 주장과 맞닿아 있다. 실존주의는 우리의 정체성이 생물학, 사회 또는 운명과 같은 외부 요인에 의해 미리 결정되거나 우리에게 주어진다는 개념에 도전한다. 대신, 그것은 우리가 우리의 선택과 행동을 통해 끊임없이 자신을 정의하고 재정의하는 상태에 있다고 주장한다.

발견의 개념은 우리의 진정한 본질이 발견되기를 기다리는 외부 어딘가에 있음을 암시하지만, 자신을 창조하는 것은 능동적인 의미를 담고 있다. 그것은 우리가 미리 결정된 정체성의 수동적 수용자가 아니라 우리 자신의 삶을 능동적으로 형성할 수 있는 능동적 행위자임을 강조한다. 더욱이 이 명언은 발견해야 할 고정되고 정적인 자아가 있다는 개념을 거부한다. 이는 우리의 정체성이 유동적이고 끊임없이 진화하며, 우리의 경험, 성장, 그리고 그 과정에서 우리가 내리는 선택에 영향을 받는다는 것을 시사한다.

자기 창조의 길은 종종 안전지대를 벗어나 불확실성에 직면해야 하기 때문에 혼란스러울 수 있다. 그렇지만 그에 대한 보상은 헤아릴 수 없을 정도다. 이 과정을 통해 우리는 우리 자신의 삶에 적극적으로 참여하고, 우리 운명의 건축가가 되며, 우리 자신의 창조자가 된다. 아울러 우리의 진정한 잠재력, 가치, 그리고 가장 깊은 열정을 발견하게 된다. 자기 창조에 수반되는 어려움에도 불구하고, 우리의 근본적인 선택의지를 활용하여 우리의 진정한 자아에 부합하는 삶을 설계할 수 있는 힘을 깨닫는 여정은 믿을 수 없을 정도로 보람 있다. 그러니 과감히 우리 자신을 창조하고 자기 발견과 개인적 변화를 가져오는 이 특별한 여정을 시작하자.

32. 이 순간을 보라

-프리드리히 니체 -

프리드리히 니체는 독일의 철학자、고전 문헌학자로 그리스철학과 쇼펜하우어 등으로부터 영향을 받아 폭넓은 독서를 바탕으로 예리한 비평의 눈을 통해 서양 문명을 혁신적으로 해석했다.
이 명언은 『짜라투스트라는 이렇게 말했다』 3부에 나오는 난쟁이와 관련된 일화에서 인용한 것이다. 해당 부분을 인용하면 다음과 같다

" 이 성문을 보라! 난쟁이여! 나는 계속해서 말했다. 이 성문은 두 개의 얼굴을 갖고 있다. 두 개의 길이 이곳에서 만난다. 그 길들을 끝까지 가본 사람이 아직 없다... 이 두 길은 서로 상반되어 있다. 그들은 정면으로 머리와 머리가 충돌한다. 그리고 이 두 길은 이 성문에서 합쳐진다. 이 성문의 이름은 그 위에 씌어져 있다. 「순간」이라고 '

성문의 이름은「순간」이다. 우리가 지금 막 이 글을 읽고 있는 이 순간이다. 이 순간 이후로 미래가 영원히 이어지고 우리가 지금 있는 이 순간인지 영원한 순간이 흘러온 것이지요. 이진우 교수는 저서『니체의 인생 강의』에서 이렇게 이야기한다

" 니체는 이 순간에 충실하라고 합니다. '내일은 달라지겠지' '내일은 조금 더 나아질거야'라는 생각으로 살아가는 사람들은 지금을 살고 있지 않습니다. 현재의 순간은 매번 건너뛥니다. 내일이 되어도 현재는 없어요. 오늘이 없어요. 내일은 다시 모레를 보니까요. 이런 삶은 메뚜기 같은 삶입니다. (중략) 영원 회귀 사상으로부터 우리가 알아야 할 것은 '이 순간을 보라!'이지요."

삶을 내일로 연기하고 미래를 지연시키는 것이 아니라 이 순간을 긍정하고 열심히 살아갈 때 그 삶은 능동적인 삶이요 주체적인 삶이 된다. 삶을 다시 살고 싶다는 확신이 들 정도로 이 순간을 산다면 여러분이 찾아 헤매던 목표의 의미는 저절로 다가올 것이다. 이 순간을 잘 살아야 하는 이유다

<팡세> 단장 84에 다음과 같은 귀절이 나온다.

" 각자의 생각을 살펴보라. 우리 생각이 온통 과거 또는 미래에 사로 잡혀 있는 것을 알게될 것이다. 우리는 거의 현재를 생각하지 않는다. 혹 생각한다면 미래를 사용하기 위한 빛을 그것에서 빌려오기 위해서일 뿐이다. 현재는 결코 우리의 목적이 아니다. 과거와 현재는 우리의 수단이고 단지 미래만이 우리의 목적이다. 따라서 우리는 사는 것이 아니라 살기를 바라고 있다. 그리고 항상 행복하려고 준비하고 있으나 결코 행복할 수 없다. "

현재를 피하는 이유에 대해서 파스칼은 현재가 상처를 주기 때문이라고 하면서 다음과 같이 설명한다.

" 우리는 너무 경솔하기에 우리의 것이 아닌 시간 속에서 방황하며 우리에게 주어진 유일한 시간에는 아랑곳하지 않는다. 우리는 너무 공허하기에 있지 않는 시간에 사로 잡혀 현존하는 유일한 시간을 아무 생각 없이 피한다. 현재는 우리에게 상처를 주기 때문이다. 현재는 우리에게 고통스럽게 하기 때문에 우리는 그것을 눈에 띄지 않는 곳에 숨겨 둔다"[29]

린드버그 여사가 강조한 섬에는 현재밖에 없다. 그녀는 『바다의 선물』에서 " 섬이란 얼마나 멋진가?"라고 하면서 '본토를 잇는 다리도 없고 전신(電信)도 없고 전화도 없어 섬은 세상과 세상살이로부터 분리되어 있다. 자신의 모처럼의 휴가가 (시간적 의미에서) 그런 섬이나 다름없다' 고 생각한 그녀는 '과거와 미래와 분리되어 여기(섬)에는 현재밖에 없다' 고 말한다. 그녀는 이제부터라도 혼자가 되어야 비로소 보이는 것으로 '이곳과 지금 그리고 개인'에 대한 가치를 진실로 올바르게 인식해야 한다고 강조한다.

---

29) 파스칼 <팡세> 단장 84

33. 상황이 마음에 들지 않으면 바꾸십시오 당신은 나무가 아닙니다

- 짐 론 -

태어날 때 우리는 땅속의 씨앗에 불과하다. 우리는 본성을 가지고 있으며 우리 모두는 우리가 어떻게 양육되는지에 의해 영향을 받는다. 나무의 성질은 싹을 틔우는 씨앗에 의해 결정된다. 떡갈나무 씨앗은 떡갈나무로 자라기 위해 하나의 본성만을 가지고 있다. 떡갈나무는 단풍나무로 자랄 수 없고, 삼나무로 자랄 수도 없다. 그 본성은 싹이 트는 씨앗 안에 포장된 유전자 코딩에 의해 미리 결정된다. 이것이 자연이다. 우리의 본성, 즉 유전적 구성은 부모에 의해 결정된다. 이는 변경할 수 없다.

씨앗이 얼마나 강해질 수 있는지는 어떻게 양육하느냐에 따라 결정된다. 나무를 기르는 개념에는 토양의 질, 물, 태양에 대한 노출, 나무가 사는 기후같은 것이 포함될 것이다. 이러한 각 요소가 참나무에 더 이상적일수록 더 강력하게 자랄 것이다. 인간도 성장 환경에 비슷하게 반응한다. 부모와의 관계가 이상적일수록 그렇다. 기본적인 생활 요건과 교육 자원에 대한 접근성이 높을수록 좋다. 이웃과 생활 환경이 안전하고 사랑스러울수록 그들은 더 강하게 자랄 것이다. 그러나 인간과 나무가 다른 점은 환경을 변화시키는 능력에 있다.

나무는 한 번 심으면 그 환경에서 살거나 죽는다. 그들에게는 선택의 여지가 없다. 뿌리를 뽑고 다른 곳으로 걸어갈 수는 없다. 그들은 그들이 심어진 곳에 갇혀 있을 뿐이다. 그리고 환경에 생존을 위한 기본 자원이 부족하면 나무는 대안 없이 자신의 운명을 받아들여야 한다.

하지만 짐 론이 말한 대로 우리 인간에게는 움직일 수 있는 능력이라는 놀라운 선물이 주어졌다. 우리는 땅에 이식되지 않는다. 우리는 본질적으로 마음대로 일어나 새로운 환경으로 이동할 수 있다. 그리고 이것은 매우 중요한 포인트다.

이것이 우리에게 주는 의미에 대해 생각해 보자. 생존을 위한 기본 자원이 부족하거나 최고의 삶을 살 수 없는 환경에서 살고 있다면 실제로 땅을 딛고 새로운 환경으로 옮겨갈 수 있다는 뜻이 아닌가. 얼마나 놀라운 일인가? 불필요하게 고통받거나 생존을 위한 기본적인 욕구가 결여된 운명을 받아들일 필요는 없다. 물론 쉽지 않을 수도 있다. 많은 것들이 당신의 어깨를 짓누르고 있어서 당신의 다리는 다른 사람들보다 더 많은 무게를 견뎌야 할 수 있지만, 당신이 인간인 한 움직이는 것은 여전히 가능하다.

따라서 삶의 환경을 자세히 살펴보라. 누구와 함께 있는지, 시간을 어떻게 보내는지, 무엇을 듣고, 어디에서 일하는지, 어떤 동네에 살고 있는지, 시간의 우선순위를 어떻게 정할지 선택해야 한다. 그것은 다른 누구도 아닌 자신에게 달려 있다. 자신의 환경이 이상적이지 않다는 것을 깨닫게 된다면, 오히려 좋은 소식이다! 당신은 나무가 아니다. 자신에게 주어진 능력을 활용하여 환경을 움직이고 변경하거나 더 잘 관리하라. 당신은 나무가 아니다.

34. 쇳덩이는 사용하지 않으면 녹슬고 물은 썩거나 추위에 얼어붙듯이 재능도 사용하지 않으면 녹슬어 버린다

- 레오나르도 다빈치 -

인류 역사상 가장 다재다능한 인물이라 불리는 레오나르도 다빈치. 그 재능을 열거해 보면, 회화, 조각, 건축, 음악, 과학, 수학, 공학, 해부학, 식물학 등 한 사람이 해낸 것으로 생각되지 않는다. 그의 명언은 인간이 가지고 있는 재능을 극한까지 끌어내려고 한 그다운 말이다. [30)]
비단 재능만은 아니다. 인간은 모름지기 사용해야 녹슬지 않고 방치하면 썩어 버린다. 머리도 신체도 모두 원래 움직이는 기능이 있는데, 편

30) 『레오나르도 · 다 빈치의 수기』

리함에 의지하게 되면 움직이는 것도 움직이지 못하게 된다.

요리사는 칼을 예리하게, 목수도 대패를 예리하게 할 것이다. 좋은 물건을 만들기 위해 항상 최고의 상태로 사용할 수 있도록 손질은 게을리하지 않는다. 진정한 장인은 도구를 소중히 소중히 다룬다.

인간도 마찬가지다. 비록 기능은 쇠약해져 가더라도 사용하고 있으면 제대로 움직인다. 또 평소 사용하면서 maintain하고 있으면 오래 계속 사용할 수 있다. '인간'과 '神의 일'에 매료된 다빈치의 모습은 인간의 기능을 가능한 한 최대로 살려 계속 도전한 결과이다.

'사용하지 않으면 녹슨다'는 것은 무엇을 의미할까요? 그것은 출력하지 않고 잊어버리고 정착하지 않은 상태라고 한다. 왜냐하면 사람은 망각의 동물이기 때문이다.

독일 심리학자의 헤르만 에빙하우스는 의미 없는 음절을 기억하고 시간이 지나면서 어느 정도 잊을까 실험을 수치화했더니, 결과는 20분에서 42%, 1시간에 56%, 1일 74%를 잊는다는 결과가 나왔다. 이를 그래프화한 것이 " 망각 곡선"이다. 한번 입력한 것은 아무것도 하지 않고 있으면 시간이 지나면서 점점 잊어버리고 마는 것임이 수치적으로 증명된 셈이다.

그럼, 망각을 억제하려면 (녹슬지 않게 하려면) 어떻게 하면 좋을까요? 결론적으로, 뇌는 잊어버리지 않도록 하려면 입력보다 출력으로 기억하므로 아웃풋을 늘리는 것이 중요하다. 미국 퍼듀대학 (시카고 근교 명문 대학)의 Jeffrey D. Karpicke 박사의 연구에 의하면 '입력을 반복하는 것보다 출력을 반복하는 편이 뇌 회로에 정보를 정착하는 것에 좋다'고 한다.

우리의 뇌는 정보를 여러 번 입력하는 것보다 그 정보를 여러 번 출력해 보는 것으로, 장기간 기억하기 유리하다는 것이다. '입력'을 아무리 해도 사용하지 않으면 잊어버리기 마련이다. '출력 (= 사용)'함으로써 지식이 정착하는 것을 알 수 있다. 그러므로 참고서를 읽거나 다른 사람에게서 듣거나 하는 것보다 SNS나 블로그에 책의 서평을 쓰거나 강좌를 들으면 요약해서 설명해 주거나 남을 가르치는 편이 뇌에 정착하기 좋다.

영업사원이면 자사 제품의 기술자료를 반복해서 읽는 것보다 고객에게 몇 번이고 프레젠테이션하는 편이 제품의 정보를 외우는 데 좋다고 할 수 있다. 출력하지 않아 자신의 것이 되어 있지 않은 것은 금방 잊어버리기 마련이다. 그러므로 뭔가 배운 것이 있다면 '배운 적이 있다 '라고만 생각하지 말고 정기적으로 출력(아웃풋)하여 항상 사용할 수 있는 상태를 유지할 수 있도록 하는 것이 바람직하다.

35. 할 수 있는 것에 집중하고, 할 수 없는 것을 후회하지 말아라

- 스티븐 호킹 -

휠체어 천재 물리학자로 불리는 스티븐 호킹 박사의 이름 뒤에는 항상 다음과 같은 업적이 따라붙는다.

별과 우리를 가깝게 만들어준 사람. 블랙홀과 우주의 기원에 관한 이론을 성립한 사람. 시공간 틈에 특이점을 발견한 사람.

호킹 박사는 블랙홀을 통해 시간 여행을 할 가능성을 열어준 사람이다. 그는 일반 상대성 이론에 관련된 분야에서 이론적 연구를 발전시켜 1963년 (21세)에 블랙홀의 특이점 정리를 발표 세계적으로 이름이 알려져 있다. 1971 년 (29세)에는 "우주 창조 직후에 작은 블랙홀이 다수 발생한다"고 하는 이론을 옹호했다. 1974년 (32세)에는 "블랙홀은 입자를 방출하여 그 세력을 약화시키고, 결국 폭발로 인하여 소멸한다"고 하는 이론을 발표했다. 현대 우주론에 큰 영향을 주고 있는 인물이다. 그런 그가 지금 소개하는 명언은 그의 공식사이트에도 올라와 있는 명언이기도 하며 그의 일생을 한 마디로 표현한 것이라 할 수 있다.

다음 소개하는 글은 21세에 루게릭병을 진단받고 2018년에 생애를 마칠 때까지 그가 남긴 시사점과 위트에 넘치는 명언들을 실제로 NASA에서 대화하면서 우주비행사 若田光一가 쓴 책[31]을 재편집한 글이다

호킹 박사가 ALS (근위축성측색경화증; 일명 루게릭병)으로 진단된 것은 케임브리지 대학의 대학원생이었던 때. 당시 ALS는 발병 후 5년 정도에서 죽음에 이르는 병이라고 생각되고 있었다고 한다. 앞이 창창한 시기에 비극을 맞았으니 슬픔과 절망감이 어떠했을지는 상상하기 어렵지 않다. 그러나 한편 호킹 박사는 당시의 심경에 대해, " 미래에 암운이 자욱했지만 놀랍게도 이전보다 인생을 즐길 수 있게 되었고 연구도 진행되었다."고 회고한다. 사실, ALS로 진단된 지 2년 후 결혼하고 아이가 생겨 가정을 가지고 곧이어 캠브리지 대학의 교수가 된다. 그리고 "휠체어의 물리학자"로 널리 알려지게 되었고, 2018년, 76세로 사망할 때까지 50년 이상의 연구 활동을 계속해 온 것이다.

난치병과 싸우면서 살아남은 인생이었지만, 연구자로서 눈부신 활약을 감안하면, 놀라운 전개로 돌아선 대역전의 인생이었다고 생각한다. 그런

31) 우주비행사 호킹 박사의 우주를 여행하다'

호킹 박사의 업적에는 2가지 중요한 점이 있다.
첫 번째는 누구나가 인정하는 과학자로서 큰 연구 성과와 영향력. 그리고 두 번째는 난치병 ALS라는 핸디캡을 극복하고 멋지게 인생을 호전시킨 위대한 실례를 남겼다는 점이다. 물론 결코 순탄치 않게 병이 큰 핸디캡으로 작용하여 박사의 삶의 곳곳에서 가로막고 있는 것은 틀림없다. 필설로 이루 다 표현할 수 없을 만큼의 고생과 슬픔을 겪었다. 그러나 호킹 박사가 놀라운 것은 보통 인간이라면 희망도 용기도 상실할 수밖에 없는 상황에서도 비극의 부분에만 자신의 마음을 두지 않았다는 것이다.
사실 다음과 같은 말도 남겼다.

불운하게 운동 신경계 질환에 걸려 버렸지만, 그 이외는 거의 모든 면에서 운이 좋았다. 특히 이론 물리학을 배운 것은 행운이었다. 이론은 모든 머릿속에 있는 것이기 때문이다. 덕분에 질병은 심각한 핸디캡이 되지 않았다. [32]

확실히 우주의 신비와 정체성을 뇌에서 상상을 짜낼 때 ALS는 아무런 영향도 주지 않는다. 결과적으로 호킹 박사는 자신에게 남아 있는 힘과 가능성을 믿고 훌륭하게 성과로 연결하여 위대한 과학자로서의 삶을 개척한 것이다. 물론 호킹 박사에게 과학을 탐구하는 드문 자질이 있었던 것은 틀림없을 것이다. 또 이런 말도 남겼다

우리 인류는 육체적으로는 아주 제한되어 있지만, 마음은 우주 전체를 자유롭게

32) 호킹 Inc.」에서 인용

탐험할 수 있다 [33]

마음과 사고는 어느 곳이라도 자유자재로 탐구할 수 있다. 그것이 인간이라는 생명체에 부여된 특권이라 할 수 있다. 우리 육체는 한계가 있어 날개를 펴고 날라 다니고 싶어도 그럴 수 없다. 그러나 그렇기 때문에 마음과 사고를 통해 생성된 기술로 우주로 날려 보내는 문명을 이룩할 수 있었다. 이처럼 우리 육체에 어떤 한계가 있더라도 마음과 사고가 자유로운 한, 인간에게 한계는 없다고 호킹박사는 이야기하고 있다.

33) ' 호킹, 미래를 말하다' 에서 인용

36. 이 세상에 재능이 없는 사람은 없다 문제는 재능을 찾기까지 행동할 수 있느냐는 것이다

- 조지 루카스 -.

미국의 영화감독으로서 영화 프로듀서 시나리오 작가로 멀티 재능을 발휘하고 있는 조지 루카스는 '스타워즈' 시리즈와 '인디아나 존스' 시리즈 등의 유명한 작품의 창조자다. 포브스 선정 ' 미국의 가장 부유한 유명인'에서 상위에 선정된 적도 있다. 하지만 성격은 수줍음이 많고 번벌어들인 돈은 전부 영화에 쏟아 버리기 때문에 실생활은 검소함 그 자체라고 한다.

재능은 사전상의 의미로는 사물을 잘 수행할 수 있는 능력으로 기술이나 학문 예능 분야에 있어서의 소질이나 능력이다. 또는 재주와 능력, 개인이 타고난 능력과 훈련에 의하여 획득된 능력을 아울러 뜻한다.
재능을 좀더 구분하면 재지(才知)와 능력(能力)이다. 재지(才知)란 지력(知力)으로 지혜나 현명한 의미를 뜻하며 능력(能力)이란 노력해서 계속해서 갈고 닦아 쌓아 올리는 것이다.
많은 사람들이 흔히 재능을 타고난 것으로 생각하는 사람들이 많은데 그런 의미로는 천분(天分)즉 타고난 재질, 소질이나 직분을 의미한다. 그러나 아무리 소질이 있다고 해도 이를 갈고 닦지 않으면 빛나기는 어려운 법이다.
오셀로에서 이아고가 다음과 같이 말한다.

" 우리가 이렇게 저렇게 되는 것은 다 우리 자신 탓이오. 우리 육신은 정원이고 우리 의지는 정원사란 말이오. 우리가 쐐기풀을 심든, 상추씨를 뿌리든, 우슬초를 심고 백리향을 뽑아 버리든, 한 종류의 풀로 정원을 채우든, 여러 종류로 섞어서 심든, 게을러서 정원을 불모지로 만들든, 부지런하게 비료를 주든, 이 모든 일의 힘과 바로 잡을 수 있는 권위는 우리 의지에 있단 말이오." [34]

세익스피어가 말하는 것처럼 우리는 누구나 다 재능이라는 화원을 갖고 태어나는 법이다. 그러나 그것은 바로 꽃을 피울 수 있는 것은 아니라는 것이다. 결국 정원사가 그 화원에 무엇을 심고 어떻게 경작하는가에 따라 훗날 멋진 화원이 되기도 하고 황폐해버린 공터가 되기도 하는 것처럼 자기 의지의 힘이 중요하다고 할 수 있다.

---

34) 오셀로, 로더리고와의 대화 중에서

즉 루카스가 말한 대로 재능을 발휘할 때까지 행동에 옮기느냐의 문제인 것이다. 그렇다고 한다면 우리는 자신의 인생을 아름다운 화원을 만들기 위해서는 어떠한 어려움과 시련이 있어도 좋은 화원을 가꾸겠다는 정원사의 의지의 힘과 지속하는 열정에 있다고 할 수 있지 않겠는가?

사무엘 스마일즈는 『자기완성의 인생론』에서 이를 '심산유곡의 바위틈에서 흘러내리는 물줄기가 계곡물이 되고 개울이 되고 강이 되어 최후에는 망망대해의 일부가 되는 것은 오로지 쉴 새 없는 돌진을 계속한 결과'라고 표현한다.

재능이 자신의 내부에 있는 것은 분명하지만 그것은 원석에 불과할 뿐이다. 끊임없이 갈고 닦아 아름다운 다이아몬드로 만드는 것은 결국 자기 의지의 힘으로 어려움을 극복해가는 돌진하는 힘, 행동 의지에 있다고 할 수 있다. 그러니 자신의 재능이 어디에 있는지에 매달리기보다 아름다운 정원을 가꾸겠다는 의지의 힘으로 어떠한 역경에 부딪치더라도 지속하는 마음, 즉 행동을 지속하는 능력이 바로 재능이 아니겠는가?

37. 당신이 할 일은 당신이 찾아서 해라 그렇지 않으면 당신의 할 일은 끝내 당신만 찾아 다닐 것이다

- 벤자민 프랭클린 -

미국 백 달러 지폐의 초상화에 등장하는 인물을 아는가? 정치가, 외교관, 저술가, 물리학자이면서 기상학자인 벤자민 프랭클린이다. 벤자민 프랭클린 만큼 다재다능한 인물이 있었을까 할 정도로 多方面에서 활동하면서도 어느 하나도 보통의 사람들은 일생을 걸려도 할 수 없을 만큼 큰 업적을 남겼다는 것에 놀라움을 금할 수 없다.

이 명언에서 일이 자신을 찾아다닌다는 말은 일에 쫓기는 사람을 말한다. 우리 주변에 보면 일에 쫓기는 사람들을 자주 보게 된다. 그런데 이들의 특징은 일에 대한 우선순위가 없이 이리저리 일에 치이면서 시간이 없다거나 스스로 일을 찾기 보다는 다른 사람이 일을 시켜야 그제서야 마지못해 수동적으로 일하는 사람, 그러다 보니 문제를 처리하는 일에만 매달려 새로운 업무는 시작도 못 해보는 사람들을 연상하게 한다. 또 관리자라면 주변에 맡기면 될 일을 스스로 처리하느라 일에 파묻혀 사는 사람도 해당된다. 반면 일을 스스로 찾아 하는 사람들은 남들이 시키기 전에 자신이 해야할 일을 스스로 찾아서 하는 사람들, 제대로 행동계획을 세워 일을 처리하고 문제가 생기기 전에 문제가 발생하지 않도록 철저히 일을 관리하는 사람, 또 관리자라면 남에게 일을 맡길 줄 아는 사람이다. 그런데 벤자민 프랭클린은 이런 정도로 하는 것을 일을 자신이 찾아서 하는 사람들을 지향하라고 했을까? 그가 우리에게 전달하고 싶었던 숨은 뜻은 단순히 일을 찾아서 하라는 것에 그치지 않고 그렇게 해서 일을 잘 처리한 후에 새로운 테마를 찾아 하고 싶은 일, 해야 할 일, 가치 있는 일들을 찾아 더욱 몰입하라는 것이 아니었을까? 변화가 극심한 지금과 같은 시대에 지금 눈앞에 주어진 일을 잘 처리하는 목표 달성형만으로는 안된다. 기존의 일에 단순히 잘 처리하는 것에 그치지 않고 새롭게 도전해야 하는 일, 장기적 성과에 직결되는 일, 자신의 능력의 본질적 성장에 관련한 일, 새로운 역할을 추구하는 일, 인간관계를 맺거나 타인과의 협업을 통해 시너지를 내는 등..일에 매진하는 것을 벤자민은 강조하고 싶었던 것이라 생각한다. 특히 바쁘기만 한 사람, 일에 대한 보람을 느끼지 못하는 사람, 새로운 것에 도전하지 않는 사람, 현재 일에 익숙해져 있는 사람들은 오늘 벤자민 프랭클린의 명언을 되새겨 보기를 바란다.

38. 시도하지 않은 슛의 실패율 100%다

- 웨인 그레츠키-

캐나다 하키선수 웨인 그레츠키는 북미 아이스하키의 '살아있는 전설'로 불린다. 그는 내셔널 하키 리그(National Hockey League·NHL) 선수 생활 20년 동안 하키의 전략과 전술 그리고 기록을 다시 썼다. 속도와 기교에 바탕을 둔 그의 플레이는 당시 완력에 의존하던 NHL을 매료시켰다. 그 결과 무려 894골이란 정규리그 최다득점, 1,963개나 되는 최다 어시스트 등 역사상 최고의 하키 선수로 기록되고 있는 그레츠키다.

세계 각국의 심리학자들은 그에게 천부적인 능력이 있다며 각종 테스트를 했다. 그러나 놀랍게도 그는 신체적으로나, 정신적으로도 그저 평범한 '보통' 수준이었다. 선천적으로 타고난 천재가 아니었다. 하지만 그레츠키는 그다운 절묘한 말을 후배 선수들과 수많은 세계 팬들에게 남겼다. 그는 "시도하지 않은 슛의 실패율 100%다."고 했다. 그가 말한 의미는 두려워하지 말고 일단 슛을 시도하라는 얘기다. 골대 앞에서 완벽한 찬스 만을 기다리지 말고, 실패를 즐기라는 것이다.

사람은 시도 때도 없이 원하는 것이 많다. 멋진 몸매도 만들고 싶고, 부자도 되고 싶다. 멋진 여성과도 얘기하고 싶으나 실제 행동으로 옮기기를 주저하게 된다. '혹시 창피나 당하지 않을까' 혹은 '그녀는 시간 여유도 없을 거야'라고 생각하면서. 어느새 우리는 자기변명에 길들여지곤 한다.

결국 행동에 옮기지 않는 것이다. 하지 않으면 일어나지 않을 것이다. 하키에 비유하면 슛하지 않으면 결코 골을 넣을 수 없을 것이다. 간단하지 않습니까? 무언가를 시작하기 전에 너무 오래 기다리지 않습니까? 장거리 샷이더라도 바쁘게 움직여 몇 샷을 시도하라. 그것이 이 명언이 의미하는 바이다. 당신은 어떻습니까? 최근에 무언가에 샷을 시도했습니까? 아직 기다리고 계십니까?

이 명언은 행동에 관한 것이다. 행동은 일을 시작하는 것이다. 노력은 계속 움직이게 한다. 끈기와 인내가 그것을 완성한다. 그러나 행동이 없으면 미루는 것이다. 시작하지 않은 일을 끝낼 수 없다. 대다수의 사람들은 앞으로 나아가기 전에 모든 것 (또는 거의 모든 것)이 완벽해질 때까지 기다리는 경향이 있다. 하지만 당신이 상상하는 것은 거의 발생하지 않는다. 하키에 비유하면 모든 수비수와 골키퍼가 줄을 서서 아무도 슛을 막을 수 없을 때까지 기다리는 것과 같다. 멋진 샷을 만들지만 '완벽한 정렬'은 아마도 시즌에 한 번만 발생한다. 골을 넣으려면 계속해서 샷을 쏴야 한다.

행동은 우리 삶의 일부다.
당신은 행동하고 있습니까,
아니면 단순히 행동을 관찰하고 있습니까?

39. 모든 조직이 사람은 보물이라고 말한다 그러나 행동으로 보여주는 조직은 거의 없다

- 피터 드럭커 -

피터 드럭커는 그의 저서『프로페쇼날의 조건』에서 '사람이 보물'이라고 말만 앞세운 조직에 대해 경고하고 있다

모든 조직이 '사람은 보물'이라고 말한다.

그러나 그것을 행동으로 나타내는 조직은 거의 없다.

진심으로 그렇게 생각하는 조직은 더더욱 없다.

대다수의 조직이 무의식적이지만 19세기 고용주처럼 조직이 사원을 필요로 하고 있는 이상으로 사원이 조직을 필요로 하고 있다고 믿고 있다. 피터드럭커는 굳이 경영자라고 하지 않고 조직이라고 한 이유는 사원도 부장도 과장도 모두 그렇게 믿고 있다는 것이 상식으로 받아들여지고 있기 때문이다. 그러나 지식노동자가 주류가 되고 인재 유동성이 높아지고 있는 지금의 시대는 직원은 싫으면 스스로 그만두는 시대라는 것을 명심하라는 의미로 보여진다. 특히 일 잘하는 패기 있는 사원일수록 더욱더 그런 가능성이 높아진다.

최근 경총에서 설문 조사한 바에 의하면 20~40대 직장인의 10명 중 7명(69.5%)가 이직을 고려 중이라고 한다. 조직에서 일대 혁명이 일어나고 있는 것이다. 직원은 조직에서 일하는 것에 대한 가치를 느끼지 못하면 회사를 떠나기 마련이며, 결국 직원의 모티베이션을 자극하지 못하는 기업은 경쟁력을 잃어 결국은 우수 인재의 대량 유출이라는 사태에 직면하게 될 수도 있음을 그는 강조하고 있다.

피터 드럭커는 계속해서 다음과 같이 조언한다.

" 사실상 모든 조직은 제품이나 서비스에 대해 행하고 있는 마케팅 전략을 이제는 직원들을 조직으로 끌어들이기 위하여 적용해야 할 것이다. 조직은 직원의 마음을 사로잡고 붙들어야 한다. 그들을 인정하고 보답해 주며 동기 부여해주도록 해야 하는 것이다. 그들을 섬기고 만족시키도록 하지 않으면 안된다" [35]

이제는 행동으로 진심으로 '사람은 보물'이라고 생각하는 조직만이 살아

---

35) 『프로페쇼날의 조건』에서

남는다.

지금까지는 종업원 차원의 employability (고용가능성) 이 중요했다고 한다면 이제는 기업 차원의 employmentability (고용유지능력)이 필요한 시대다. 즉 종업원의 입장에서 기업이 매력적이며 계속 머무르고 있게 할 수 있는 능력이 기업 측에 요구되고 있는 것이라 하겠다. 그러기 위해서는 높은 임금만이 아닌 직장환경은 물론 개개인의 커리어 지원, 중장기적 비전 등을 제공할 수 있어야 할 것이다. 일을 통해서 자기실현을 추구하고 성장감을 느끼며 직원들로부터 만족감을 이끌어내는 매니지먼트가 전개되어야 하는 이유이다. 아울러 도전 기회를 제공하여 일에 대한 몰입을 유도하고 스트레스에 대한 멘탈 지원은 물론 커리어 자율을 위한 서포트도 중시하여야 한다.

개인이 조직에 파묻혀 있는 집단주의에서 인재 유동화 시대에는 employmentability로의 인재 육성의 관점으로, 개인과 조직의 관계의 혁명적 변화가 필요한 시점이다. 일찍이 입으로만 사람이 보물이라고 외치면서도 행동으로 옮기지 않는 조직의 종말을 경고한 피터 드럭커의 예지가 더욱 빛나 보이는 이유이다.

(명언 모음 3)

빌 게이츠의 명언 10 選

"자신을 세상의 누구와도 비교하지 말라"

1955년 워싱턴 주 시애틀 태생의 사업가, 자선 활동가로 마이크로 소프트 공동 창업자 "Windows" 개발자로도 알려져 있다. 어린 시절부터 남다른 것을 좋아하고 특히 경쟁에서는 지기 싫어하는 성격이었다. 시애틀의 명문 사립학교인 레이크사이드 학교에 진학하였는데 이곳에서 후에 마이크로소프트를 함께 창업한 2세 연상의 폴 앨런과 만난다.
고교 졸업 후 하버드 대학에 진학하는 것도 중퇴하고 앨런과 MS를 설립하여 Windows 및 Internet Explorer를 세상에 내놓으면서 마이크로소프트를 세계적인 기업으로 성장시켰다. 2008 년에는 일선에서 물러나 아내 멀린다와 함께 '빌 & 멀린다 게이츠 재단'을 통해 자선 활동에 힘을 쏟고 있다.

빌 게이츠의 명언 10선

1. 우리는 사물을 철저히 규명하기를 좋아한다. 그러면 대부분 좋은 결과가 나온다.

게이츠는 "성공의 열쇠는 목표를 잃지 않는 것"이라고 언급하며, 자신이 가장 힘을 발휘할 수 있는 범위를 파악하고 거기에 시간과 에너지를 집중하는 것이 중요하다고 말한다. 포기는 그 이상의 어떤 가능성도 생각하지 못하게 된다.

2. 매일 매일 "이기고 싶다"라는 마음으로 출근해야 한다. 다급할 때야말로 최고의 능력을 발휘할 수 있다.

"좋은 일을 하려면 어떻게 해야 하나?" "출세하려면 어떻게 해야 합니까? 에 대한 답이다. 항상 최고를 지향하며 일을 하는 마음가짐이야말로 성장과 연결된다. 남들만큼만 해서는 절대로 결과가 따르지 않는다.

3. 일사불란하게 일하는 것, 최선을 다하는 것이 싫다고 말한다면, 여기 이곳은 네가 있어야 할 직장이 아니다.

몰입해서 일할 수 없다면 그 일에서 성과를 내기는 어렵다. 내가 불평, 불만만을 말하고 있다면 환경을 바꾸는 게 좋다. 무리하게 그곳에 계속 있는 것은 시간 낭비이며 동료들에게도 훼방이 될 뿐이다.

4. 성공을 축하하는 것은 좋지만 더 중요한 것은 실패에서 배우

는 것이다.

실패는 상황을 개선하는 계기가 되고 좋은 것을 만들어 내는 기회도 된다. 도전을 겁내지 않는 게이츠의 태도가 드러난다.

5. 반대가 있는 것은 건강한 현상이다. 힘 있는 아이디어는 언제나 시험을 받는다.

반대나 비판의 목소리에 주눅들지 말고 자신의 힘을 믿고 추진해야 한다는 메시지이다.

6. 우리는 창업가라는 말을 항상 거부해 왔다. '회사를 시작하자. 어떤 회사로 할까'라고 해서는 결코 성공하지 못한다.

빌 게이츠는 "나는 무엇보다도 소프트웨어 개발자입니다."고 단정짓는다. '자신이 하고 싶은 것'을 하기 위해 창업하라는 점이 포인트이다. 창업을 목적으로 하는 기업가는 결코 사업을 성공시킬 수 없다.

7. 자신을 세상의 누구와도 비교하지 말라. 그것은 자신을 모욕하는 행위다.

사람을 비교하기 시작하면 쓸데없이 감정에 소모되기 쉽다. 좌고우면하지 말고 자신 있게 앞으로의 전진만 생각하라.

8. 문제는 미래이다. 그래서 과거를 돌아보지 않는다.

이미 일어난 것은 바꿀 수 없다. 실패와 실수를 되돌아보는 것은 시간 낭비이다. 그보다는 앞을 보고 걷는 길을 어떻게 개척해 나갈 것인가를 생각하는 것에 시간을 사용해야 한다.

9. 인간은 생각할 시간이 필요하다.

게이츠는 일 년에 두 번, 동료나 가족도 연락을 취하지 않고 혼자 보내는 시간을 마련하고 있다. 해당 기간 동안 바쁜 일상 속에서 잃어버리기 쉬운 자신의 목표와 비전을 확인하는데 부수적으로 창의적인 아이디어를 얻기도 한다.

10. 변화할 수 없으면 성장할 수 없다. 성장할 수 없으면 산다고 할 수 없다.

변화를 두려워하지 않고 도전하는 것은 미래의 가능성을 넓히는 것과 연결된다.

CHAPTER 4

인생

40. 인생에서 가장 중요한 날이 이틀 있는데 첫 번째 날은 내가 태어난 날이고 두 번째 날은 내가 이 세상에 왜 태어났는지 그 이유를 알게 되는 날이다

- 마크 트웨인 -

마크 트웨인. 미국 미주리 출신의 작가, 소설가. 마크 트웨인('물 깊이 두 길'이란 뜻)이란 필명은 그가 소설가가 되기 전에 증기선에서 도선사 자격을 취득한 데에서 비롯되었다고 한다. 헤밍웨이는 그의 저서에서 '모

든 현대 미국 문학은 마크 트웨인의 『허클베리 핀의 모험』이라는 한 책에서 유래한다'고 기술하고 있을 정도다. 그의 소설은 유머 넘치고 독설이 있으며 사람의 심금을 울리는 그의 명언은 세계에서 강연이나 스피치에 가장 잘 인용되고 있다.

그의 죽음에도 에피소드가 있는데, 헬리혜성이 관측된 1835년 11월 30일에 태어난 그는 자신은 헬리혜성과 함께 지구에 왔기 때문에 헬리혜성과 같이 사라질 것이다고 공언하고 다녔는데 그 후 1910년 헬리혜성이 75년 만에 지구에 나타나던 해 그의 공언대로 74세를 일기로 타계했다.

이 명언은 그의 수많은 명언 중에서도 가장 많이 인용되고 있는 명언 중의 하나이다. 그가 강조하고 싶은 것은 우리가 세상에 태어난 이유를 찾는 것이 그만큼 중요하다는 것이다. 아마 마크 트웨인은 자신이 태어난 이유를 누군가 묻는다면 「글쓰기」에 있다고 대답할 것 같다.

당신이 태어난 이유는 무엇입니까? 내가 태어난 이유가 특별히 있겠는가하고 반문할지 모르겠군요.

그러면 다음 글을 읽은 다음에 다시 묻겠습니다.

당신이 태어나기 위해서는 두 사람의 양친이 필요합니다.

이 양친이 태어나기 위해서는 각각의 양친이 필요합니다.

2대가 4명이 되고 3대는 8명, 4대는 16명이 됩니다.

이런 식으로 생명의 기원을 거슬러 올라가면

20대에 백사십만팔천오백칠십오명

25대면 삼천삼백오십오만사천백삼십이명
30대면 십억칠천삼백칠십사만천팔이십사명
이 됩니다

오십대, 육십대로 거슬러 올라간다면
천문학적 숫자가 될 겁니다.

이 수많은 선조 중에서 단 한 사람만이라도 없었다면
지금의 당신의 생명은 존재하지 않았을 겁니다.

생명의 불씨가 꺼지지 않고 이어져 온 결과
오늘 당신이 여기 살아 있는 것입니다

그런 가치있는 당신의 인생 또한 선조로부터 이어져 온 이 불씨를 더욱 더 살리기 위해 최선을 다하는 것이라고 생각합니다.

그럼 다시 묻겠습니다.
당신이 태어난 이유는 무엇입니까?

일반적으로는 자신이 태어난 이유를 쉽게 대답하기는 어려울 것이다. 그렇다면 어떻게 하면 당신이 태어난 이유, 인생의 의미를 찾을 수 있을까요? 빅터 프랭클은 인간이 인생의 의미가 무엇인가 하고 묻기 전에 인생이 우리에게 거꾸로 묻고 있으니 우리는 살아가는 의미를 알려고 할 것이 아니라 오히려 인생에게 (살아가는 의미를) 답을 해야한다고 주장한다. 흔히 대부분의 사람들은 인생을 자신이 하고 싶은 것을 하는 장(場)으로 생각한다. 이러한 인생은 그는 '욕망 중심의 가치관'이라 부른다. 그는 이는 잘못된 생각이라고 한다. 오히려 하고 싶은 것을 하는 인생에서 ' 해야 하는 것을 하는 인생', '사명을 실현해 가는 인생'으로 받아들여야 한다고 하고 있다

욕망 중심의 가치관에서는 병에 걸리거나 인간관계에 트러블이 생기거나 하면 그저 인생에 장애가 생겼다는 식으로 밖에 생각하지 않지만, '의미와 사명 중심의 가치관'에서는 그러한 트러블조차 무언가 의미가 있다고 받아들여, '이 사건을 통해 인생이 나에게 무엇을 요구하고 있는가?' ' 나는 이 경험을 통해 무엇을 배워야 하는가' 하는 자세로 받아들인다.

빅터프랭클은 인생이 자신에게 요구하는 것을 찾기 위한 방법으로 단서로서 3가지 가치를 제시하고 있다

- 창조 가치 : 자신의 일을 통해 실현할 가치.
- 체험 가치 : 사람이나 자연과 부딪치는 체험에 의해 무언가를 받아들여 무언가를 실현할 수 있는 가치
- 태도 가치: 자신에게 주어진 운명에 대해 어떤 태도를 가질 것인가 그것에 의해 실현되어가는 가치.

빅터프랭클은 태도 가치만큼은 (앞의 두 가치와는 다르게) 인간이 어떤 곤경에 처하더라도 그 실현 가능성이 없어지지 않는다고 강조한다. 즉 태도 가치만 있으면 인생의 마지막 순간까지 인생에 있어 의미가 없어지는 일은 없을 것이라고 한다.

41. 사람은 자기가 얻는 것으로 생계를 꾸리고, 자기가 주는 것으로 산다

- 윈스턴 처칠 -

.

많은 것을 생각하게 하는 명언이다. 물론 일을 해서 돈을 벌고 그걸로 생계를 꾸리지만, 그건 그저 살아가는 방법일 뿐이다. 어쨌든 나는 내 인생을 살고 있잖아! 그렇게 생각하기 위해서는 자신이 다른 사람들에게 무엇을 주고 있는지에 대해 생각할 필요가 있다. 사람은 혼자 살 수 없다. 다른 사람들과 교류할 때에만 자신이 어떤 사람인지 알게 되는 법이다. 네가 없었다면 나도 없었을 것이다.

인생은 다른 사람을 위해서만 살 가치가 있다" [36]

---

36) 알버트 아인슈타인

'일한다'는 행위는 언뜻 보면 얻는 것 같지만, 기분에 따라 '준다'는 것도 가능하다. 고객의 입장에서 생각하고 고객에게 만족스러운 서비스를 제공하는 것은 부인할 수 없는 '베푸는 것' 뿐이다. 펜실베니아 대학 워튼 스쿨의 조직 심리학자 아담 그랜트 씨는 방대한 연구 성과를 베이스로 저서 『Give and Take: A Revolutionary Approach to Success』을 출간했는데 그의 저서에서, give-and-take의 새로운 진실에 대해 다음과 같이 정리하고 있다.
그랜트는 직장에서 사람의 행동을 세 가지 유형으로 나누어 생각한다. 가장 먼저 자신의 이익을 우선시키는 사람을 테이커, 사람에게 아낌없이 주는 사람을 기버, 이 중간에서 손익의 균형을 생각하는 사람을 매처로 나누고 있다. 그리고 그는 기업의 계층 구조에서 이 세 가지 유형의 사람들이 어떤 포지션을 얻는지 조사했다. 그러자 기버의 특성을 가진 많은 사람들은 다른 사람들을 위해 자신의 시간과 공적을 희생시켜 버리기 때문에 회사에서의 포지션이 낮고 평균 급여액도 낮다는 결과가 나왔다. 매처는 평균적인 포지션과 급여. 상대보다 먼저 이익을 얻으려고 움직이는 테이커는 평균보다 조금 더 높은 결과를 얻었다. 그러나 한편으로 재미있는 결과도 나타났다. 조사에서 가장 포지션과 급여가 높았던 것은, 실은 기버의 경향을 가진 사람들이었다. 평균으로 보면 포지션은 낮지만, 뚫고 나오는 인재도 또 기버였다는 것. 소셜 미디어에서 개인의 생각이나 행동이 가시화되는 시대에 있어서는, 기버가 점점 성공하는 시대가 될 것이라고 그는 주장하고 있으며 이는 단순한 정신론이 아니라, 행동 과학과 데이터로 뒷받침되고 있다는 것이다.

42. 인생에서의 비극은 목표를 달성하지 않은 것에 있는 것이 아니라 인생에 목표를 갖고 있지 않았다는 것에 있다

- 벤자민 메이즈 -

아프리카계 미국인 교육자, 신학자 벤자민 메이즈는 인종차별이 극심한 미국 남부의 사우스 카롤라이나 州의 노예로 소작농을 하던 양친에게서 태어났다. 고학으로 베이츠 칼리지를 최우수 성적자로 졸업하고 시카고 대학의 대학원을 졸업한 후 미국 아틀란타의 모어 하우스 칼리지(黒人系男子大学)의 학장으로 장기간 근무했다. 교육에 있어서의 인종차별에 반대하고 30개 가까이 명예박사를 받았으며, 그 유명한 마르틴 루터 킹 목사에게 영향을 준 인물이라 한다. 킹 목사의 인종차별 철폐를 호소한 유명한 연설에서 "우리에게는 꿈이 있다"고한 명언은 아마 벤자민 메이즈의 명언에 영향을 입은 것으로 보인다. 원래 이 명언의 원문은

The tragedy in life does not lie with not reaching your goals.

The tragedy lies in not having any goals to reach.

It is not a calamity to die with dreams unfulfilled,

but it is a calamity not to dream.

It is not a disgrace not to reach the stars,

but it is a disgrace to not have stars to reach for.

인생에 있어서의 비극은 목표를 달성하지 않은 것에 있는 것이 아니라

인생에 목표를 갖고 있지 않다는 것이다.

꿈을 달성하지 못하고 죽는 것이 불행이 아니라

지향할 꿈이 없다는 것이 불행이다.

별에 도착하지 못한 것이 창피한 것이 아니라

다다라야 할 별이 없다는 것이다.

가장 즐거운 인생은 명확한 목표를 가지고 goal에 다다를 때까지의 프로세스를 즐기는 것이라 할 수 있다. 왜냐하면 무언가에 몰두하기 위해서는 일정한 목표를 정해 놓으면 마치 등산에서의 체크포인트처럼 도중에 하나하나 거치면서 그때그때 달성감을 맛볼 수 있기 때문이다. 눈을 감고 등정이 끝났을 때 발아래 펼쳐질 풍경을 상상해가면서 올라가는 것만으로도 멋진 등산이요 멋진 인생이 될 수 있다.

당신은 상상하는 것만으로도 가슴이 두근거리는 목표를 가지고 있습니까?

43. 인생에서 가장 위험한 것은 이루어질 리가 없는 꿈이 이루어지는 것이다

- 미하엘 엔데 -

마하엘 엔데가 두 번째 독일 문학상을 받은 『모모』에 나오는 내용이다. 모모'는 부제가 '시간을 훔치는 도둑과 그 도둑이 훔쳐 간 시간을 찾아주는 한 소녀에 대한 이야기'인 것처럼 주인공 모모와 「시간 도둑」인 '회색 신사들'과의 공방을 다룬 작품이다. 부모가 누구인지 모르지만 따뜻한 마음씨를 가진 모모에게 마을 사람들은 마음이 이끌려 매일 모모를 찾아와 이야기를 털어놓으면서 마을 사람들과 모모는 친구가 되고 마을 사람들은 모모로 행복한 날들을 보내던 어느 날, 정체를 알 수 없는 '회색 신사들'이 나타나 '시간을 절약하여 시간저축은행에 저축하면, 이자가 이자를 낳아 인생의 몇십 배가 되는 시간을 가질 수 있다'고 사람들을 유혹한다. 주인공 모모는 사람들이 점점 여유 없는 생활을 하며 시간에 쫓기게 되자, 그 도둑맞은 시간을 찾아 주려 노력하는 줄거리이다. 그가 강조하고자 한 것은 '시간' (엔데의 유언에서 보면 그가 강조하려던 것은 돈이었지만)이다. 소설에서 회색 신사들은 '인생 최대의 목적은 무엇보다도 성공하는 것, 부자가 되는 것, 유명하게 되는 것'이라는 일관된 논조로 사람들을 현혹한다. 그에 넘어간 사람들은 돈에 집착하게 되면 돈이라는 현실밖에 눈에 보이지 않게 되어 충실한 시간을 보내는 것의 중요성을 깨닫지 못한다. 이 명언은 공상력으로 이야기하기를 좋아하는 관광 가이드인 모모의 친구 지지가 모모에게 한 말이다. 지지가 회색 신사에게 현혹되어 유명한 작가가 된 후 후회하면서 하는 말이다. 풍요로운 내면의 세계, 정신세계를 소홀히 하는 것에 대한 경고로 들린다. 유명한 팝스타인 마이클 잭슨의 인생 후반도 결국 지지가 이야기하는 '인생에서 가장 위험한 것'을 달성했기 때문이라는 생각이 들었다.
돈, 명성, 명예 만을 추구하기 위해 모든 것을 희생하면서 필사적으로 노력하는 과정에서 우리가 놓치고 있는 것이 무엇인가. 중요한 것은 무리해서라도 필사적으로 산다는 것, 단지 높은 목표만을 추구하면 그것으로 충분하다는 생각보다는 그때 그때의 시간을 충실하게 음미하면서 자기답게 살아가는 것이 중요하지 않을까 하는 생각을 하게 한다.
결국 '시간저축은행'이 노린 것은 각자의 '현재의 시간'이다. 이를 맡기면 불려준다는 실체 없는 정보에 불과한 이자(돈)와는 달리 시간은 현존하는 실체, 존재 그 자체이다. 엔데의 유언에서도 강조한 인간이 만든 실체 없는 돈을 위해서 현존하는 시간을 허비하는 것에 대해 생각하게 하는 명언이다.

Zeit ist Leben. (시간은 생명이다)

44. 산다는 것은 무엇인가? 산다는 것은 다 죽어가는 것을 끊임없이 떨쳐내는 것이다

- 프리드리히 니체 -

니체의 '즐거운 지식'에 나오는 문장이다. 여기서 다 죽어간다는 것은 기존의 사상이나 생각, 종래의 굴레를 의미하고 있다. 즉, 니체는 이미 수명을 다하고 활력을 잃은 사상이나 생각들에 매달려 살아가야 되겠는가라는 지적인 지적을 해주고 있는 것이다.

그는 그의 저서에서 즐겁지 않은 사색과 고찰에서의 해방을 촉구하는 에피쿠로스적 사고방식을 주장하면서 <아타락시아>[37]에 이르기 위해서

37) 어떤 것에도 흔들리지 않는 영혼의 평정상태

는 어떤 사상적인 속박(종교, 국가관, 인간관 등)에서도 자유롭게 해방된 사고를 가져야 한다고 주장한다. 물질적 쾌락의 추구는 많은 어려움에 부닥치게 되고 더 많은 고통을 가져다 주기 때문에 쾌락을 버리는 길이야말로 쾌락으로 가는 지름길이라는 것이 <쾌락주의의 역설>인데, 에피쿠로스는 <쾌락>이란 평정하고 자율적인 심신의 안정이며 평화롭고 고요한 상태를 <아타락시아>라고 불렀다.

참고로 에피쿠로스는 행복을 위해 필요한 것에 대해 세 가지로 구분하고 있다. 즉 의식주와 같이 자연적이고 필요한 것, 좋은 집. 전용욕실, 하인처럼 자연스럽지만 불필요한 것, 마지막으로 富나 명성 권력과 같이 부자연스럽고 불필요한 것으로 구분한다.

이같은 행복에 대한 에피쿠로스의 3가지 분류는 재산을 모으지 못한 사람이나 재산을 잃을 것을 두려워하는 사람들, 노후에 일정 수준의 연금이나 재산을 모으지 못하면 암울한 지옥같은 노후가 기다리고 있다고 믿는 사람들에게 일침을 가한다.

즉, 행복은 심리적으로 바라는 것의 복합으로 이루어지는 것이지 물질적인 욕망에는 의존도가 낮다는 사실이다. 따뜻한 옷을 살 수 있는 수단만 있으면, 어딘가에 살 수 있는 곳만 있으면, 무언가 먹을 수 있는 것만 있으면 그 이상의 것에 대한 의존도는 거의 낮다는 그의 정의는 행복을 마치 경제적인 계획을 달성하는 것이라고 정의하고 있는 사람들, 비참한 것이란 보잘것 없는 수입이라고 치부하고 있는 사람들에게 경종을 울리고 있다.[38]

중산층을 거주지 주소나 아파트 크기, 차종이나 배기량으로 판단하려고

38) 알랑드 보통의 '철학의 위로'에서 인용

하는 지금과 같은 극단적인 물질 만능의 풍토에서 벗어나 '궁핍에서만 벗어날 수 있다면 평범한 식사나 호화스러운 식사나 쾌락은 같다'는 에피쿠로스적 사상을 추구하는 것이 바로 제대로 살아가는 것이라는 니체의 가르침이 가슴에 와닿는다.

나이에 대한 에피쿠로스적 즐거움을 하나 더 덧붙이고 싶다. '영원한 청춘에서 벗어나라'고 강조하는 그는 '노년이야말로 인생의 절정이자 최상의 단계'라고 주장한다. 그는 "운이 좋은 사람은 젊은이가 아니라 일생을 잘 살아온 늙은이다. 혈기가 왕성한 젊은이는 신념에 따라 마음이 흔들리고 방황하지만 늙은이는 항구에 정박한 배처럼 느긋하다." [39]

주변으로부터의 온갖 선입견과 영향으로 자연스럽게 자리 잡은 물질적 쾌락에서 벗어나기 어려운 사람들에게 낡은 사고, 구시대적 굴레를 떨쳐내는 것이야말로 제대로 사는 것이라는 그의 메시지를 들려주고 싶다.

---

39) 인용 : 철학자처럼 느긋하게 나이드는 법, 대니얼 클라인 지음

45. 내가 다섯 살 때 어머니는 늘 행복이 인생의 열쇠라고 말씀하셨죠

- 존 레논 -

원래 원문은 "내가 다섯 살 때, 어머니는 늘 행복이 인생의 열쇠라고 말씀하셨죠. 학교에서, 나중에 커서 무엇이 되고 싶은지 쓰라고 하길래 "happy (행복)"이라고 썼어요. 그랬더니, 날 더러 과제를 잘 이해하지 못하고 있다고 하더군요. 그래서 난 그분들이 인생을 이해하지 못하고 있는 것이라고 했어요."이다.

평화스러운 세계를 상상해보라고 노래한 'imagine'. 우리에게 사랑과 평화를 음악과 언어를 통해 전달한 음악가이자 평화운동가 존 레논. CD를 10억 장 이상 판매하였고 기네스북에 '가장 성공한 그룹'으로 등재된 영국 출신의 4인조 비틀즈를 결성한 리더 존 레논. 그는 영국의 항구도시 리버풀에서 태어났다. 네 살 때 선원이던 아버지 알프레드 레논(Alfred Lennon)과 어머니 줄리아(Julia)의 이혼으로 이모인 메리 스미스(Mary Smith, '미미'라는 애칭으로 불림)의 가정에서 자랐다고 한다. 비틀즈로 데뷔 후 해산할 때까지 8년간 폴 메카트니와 함께 거의 모든 곡을 작곡하여 다수의 힛트곡을 만들었다. 1980年 12월 뉴욕에 있는 자택 앞에서 열광 팬의 흉탄에 쓰러져 40세로 생애를 마쳤다. 그는 세계적인 명곡은 물론 많은 인상적인 명언을 남겼다.

이 명언은 행복에 관한 것이지만 5살의 존 레논이 당당하게 선생에게 말하는 장면을 연상하니 저절로 미소 짓게 된다. 5살밖에 안되는 꼬마가 life의 의미를 이해했을까 하는 의구심이 들기도 하지만 그렇다 해도 happy하게 사는 것이 가장 중요한 것이며 크면 그렇게 살아갈 거라고 굳게 마음 속에 간직하도록 한 어머니의 힘은 위대하다

그런데 필자가 주목한 것은 선생님들의 진로교육 모습이다. '커서 무엇이 되고 싶으냐'라는 질문이다. 이는 커리어를 좁은 의미로만 해석하는 데에서 비롯된 것이다. 즉 커리어를 진로나 직업의 의미로만 국한해서 생각하기 때문이다. 그러므로 진로상담이나 진로지도는 "개개인의 인생활동의 한 방향으로서의 직업 및 그를 위한 준비"로 해석한다. 그러니 자연스레 선생님은 존 레논에게 "앞으로 너는 뭐할거니"로 물어본 것이다. 그러나 커리어의 광의의 해석은 '개인의 인생과 삶의 방식 그 표현'으로 어떻게 살아가려는지에 대한 내면의 세계에서 바라본다. 그렇다면 선생님의 질문은 존 레논에게 "어떻게 살아 갈거니?"가 되었을 것이고 존 레논이 답한 'happy' 즉 행복한 삶을 살고 싶다고 말한 것은 너무도 타당한 말이 된다고 하겠다. 70년 전의 존 레논이 겪었던 사례는 언젠

가 접한 우리 진로 교육 현장과 판에 박은 것같이 똑같았다. 10년 전 필자가 동영상으로 본 진로 교육 중에. '외모가 중요한 직업을 고르라" 는 질문에 학생들이 연예인, 배우 등 외모와 연결된 직업을 가득 메꾸는 장면이 나왔다. 과연 배우라는 직업이 외모가 중요한 직업인가? 사전에 나오는 배우의 정의를 소개한다.

" 배우의 업무는 단순히 연기를 하는 것에 그치지 않고 충실한 연기를 위해 그 과정으로서 통상 회의, 연습 및 리허설, 등을 반복하는 막후 준비작업을 수반하며 일반적으로 데뷔하고 나서 처음부터 크게 호평을 받는 역을 맡게 되면 인기배우로서 일이 오지만 그렇지 않을 경우는 그에 걸맞는 이미지 역밖에 오지 않게 되어 일의 폭이 좁혀지게 되고 최악의 경우는 은퇴하거나 우울증에 빠지게 되는 등의 위험을 감수하기도 한다.(중략)...배우업은 화려한 반면 상당히 힘든 세계라고 한다. 배우로서 유명해지는 것은 아주 극히 일시적인 반면, 수입도 안정되어 있지 않기 때문에 좌절하는 사람도 많다. 그리고 지속적으로 배우로 활동한다는 보증도 없다[40]

로버트 드 니로의 사례를 소개한다. 요즘 인턴이라는 영화로 새삼 이름이 거론되고 있지만 그가 어떻게 배우 역할을 수행했는가를 보면 배우가 용모로 선택하는 직업인지 아닌지 이 글을 읽은 분들은 금방 파악할 수 있을 것이다

『로버트 드 니로』는 '대부 2'에 기용되자 마피아의 고향 이탈리아 시칠리아 섬에 가 한동안 살았다. 그곳 사람들 삶과 생각을 몸으로 익혔다. '디어 헌터' 때

---

40) 위키피디아 배우의 정의에서 일부 인용

는 영화 무대가 될 철강 공장에서 이름을 숨기고 몇 주를 일했다. 헬기에 매달려 가다 강에 떨어지는 연기를 대역 없이 열다섯 차례 거듭했다. '택시 드라이버'를 찍기 전엔 하루 열두 시간씩 꼬박 한 달 택시를 몰았다. 권투 영화 '성난 황소'를 찍으면서는 몸무게를 66㎏에서 97㎏으로 불렸다.(중략). 배우가 허구한 날 똑같은 표정·말투·감정이어서는 배우라고 하기 민망하다[41]

배우로서의 삶은 그저 배우라는 직업을 선택한다고 해서 이루어지는 것이 아니다. 진로 교육에서 중시해야 할 것은 오로지 어떤 직업을 선택하는가에만 매달리지 말고 어떻게 직업을 바라보아야 하는가의 관점이다. 외면의 세계에서 보면 커리어는 직업이니 직책이니 자격이니 하는 식으로 개인의 모습이 보이지 않지만, 내면의 세계에서는 개개인의 고유의 삶의 방식이 있고 인생관이 있다. 로버트 드 니로를 존경하는 것은 그가 추구하는 삶의 방식, 일하는 방식, 배우는 방식인 것처럼, 커리어의 세계도 내면의 세계를 통해 자신을 구현해 내는 것이 중요하다. 외형적인 커리어의 추구에서 벗어나 자기만의 삶의 방식이자 일하는 방식의 표현으로서의 커리어를 지향할 때 우리는 일의 세계를 통한 몰입과 열정을 경험할 수 있을 것이다.

41) 2013/02/27 조선일보 만물상에서 인용

46. 죽음은 위험 없는 죽음을 생각할 때보다 죽음을 생각하지 않을 때 더 견디기 쉽다

-블레즈 파스칼 -

이 명언은 『팡세』의 단장 271에 나오는 구절이다. 『팡세』는 파스칼이 39세의 나이로 요절한 후 지인에 의해 한 책으로 정리한 책이다. 파스칼은 중병으로 인해 의학적 상식으로는 도저히 회복할 수 없다고 판단한 환자가 순간적으로 치유되는 기적을 경험한 후 그 체험을 바탕으로 『팡세』를 썼다고 한다.

알다시피 파스칼은 파스칼의 정리를 발견한 수학자이고 물리학자로 실험물리학의 시조라고 불리우지만 과학의 영역을 넘어 영혼의 세계까지 인정했던 것이다. 그는 자신이 경험한 놀라운 현상을 마치 연구하듯이 탐구했다. 신의 출현이 어떻게 가능할 수 있는지, 아픈 사람이 어떻게 기도만으로 다시 소생할 수 있는지 당대를 대표하는 과학자답게 치밀하게 파고들었는데 그렇게 해서 남긴 메모와 단편을 모아 출판한 책이 『팡세』이다.

미지의 세계인 죽음을 두려워하는 것은 인간으로서 자연스러운 감정이다. 그러나 언제 어떤 방식으로 다가올지 모르는 죽음은 누구나 필연적으로 겪어야 할 과정임에도 불구하고' 과잉'이라고 할 만큼 죽음에 대한 불안과 공포를 가지고 있다.

알폰스 데켄 (Alfons Deeken) 은 그의 저서에서 죽음에 대한 공포를 9가지로 소개하고 있다

① 고통에 대한 공포

② 고독의 공포

③ 존경을 잃을 것에 대한 공포

④ 가족이나 사회에 부담이 될 것에 대한 공포

⑤ 미지의 세계에 대한 공포

⑥ 인생에 대한 불안과 연결된 불안

⑦ 인생이 불완전하게 끝날 것에 대한 불안

⑧ 자기소멸에 대한 불안

⑨ 사후 심판이나 벌에 대한 불안

등이 그것이다. 이러한 죽음 문제에 대한 공포에 대응하는 방법으로는

1) 죽음에 대한 두려움과 공포에 시달릴 뿐 극복하려는 어떠한 노력도 하지 않는 경우

2) 아예 죽음을 외면하고 최대한 생각하지 않으려는 경우

3) 죽음을 직시하면서 그것의 문제를 풀어보려는 노력을 하는 경우가 있다.

이 중에서 파스칼은 2)처럼 죽음을 생각하지 않는 경우가 더 쉽다고 하였는데 마침 그러한 사례가 있어 소개한다.

故 토츠카 요지씨 (당시 66세)의 경우가 그렇다. 그는 노벨상 수상이 유력시되던 일본의 물리학자인데 그의 암과의 투쟁기록이 NHK에서 '물리학자 토츠카 요지 암을 지켜 보다'라는 프로로 방영되어 일본열도를 울렸다. 평소 우주의 생과 사와 맞서던 그가 자신의 암이라는 지병에 맞서 과학적인 눈으로 암 전문의가 놀랄 정도로 병증을 분석하여 블로그에 기록했던 내용은 진중하기까지 하였다.

그가 대장암을 발견한 것은 2000年。그리고 2006년에 직장을 떠나 자택에서 요양에 전념하게 되었다. 그리고 2007년 8월에는 지금까지 수집한 방대한 병상 데이터를 기초로 자신의 증상 및 심리적인 면까지 과학자의 눈으로 친구에게 알리는 식으로 블로그에 기록하기 시작한다. 그의 블로그 타이틀은「A Few More Months」. 그의 병과의 투쟁 기록에는 죽음에 어떻게 대해야 할 것인가에 대한 고민을 접할 수 있었다.

" 개체가 죽음을 두려워하는 것은 생물학적 생존본능이 있기 때문이라고 애써 태연해지려고 하지만 역시 죽음이 두려운 것은 변하지 않는 것 같습니다....

" 남은 인생을 충실하게 보내려고 생각하세요 라고 충고를 받는 경우가 종종 있지만 그런 어려운 문제는 아무리 생각해도 해결하는 것 자체가 의미가 없다는 경지가 되었습니다,"

" 나 같은 평범한 사람은 인생이 끝난다는 것 자체를 아예 생각하지 않고 시간을 보내는 것이 차라리 낫다고 생각합니다. 그렇다면 죽기 전에 남아 있는 시간을 어떻게든 보내지 않으면 안되는데 그래서 선택한 방법은 ①「두려움」이라는 생각을 철저하게 피한다. ②「자신의 죽음」에 대한 생각이 떠오르면 다른 생각으로 강제적으로 바꾼다. 연령에 따라 다르지만 죽음의 방문은 차이가 나야 10~20년의 차이다. 그동안 세계가 반드시 살아야 할 만한 가치가 있다고는 생각하지 않는다 ③ 자신이 암에 걸린 이유가 자기에게 있지 자기 이외와는 무관하다는 식으로 두려움을 이겨낸다고 한다. "

" 많은 사람들이 짐짓 심각한 얼굴로, "남은 인생, 매일매일을 충실하게 보내도록..."하며 쉽게 바로 할 수 있는 일처럼 말하지만, 저 같은 평범한 인간에게는 그런 실천은 불가능합니다. 그래서 저는「두려움」을 피하기 위해 가능한 한, 편하게 시간을 보낼 수 있도록 보통의 생활을 위한 노력을 합니다. 여기서 말하는「노력」이란, 보고 읽고 듣고 쓰는 것을 지금보다 조금 더 주의해서 하자는 식으로, 볼 때에는 조금 더 視하고, 읽을 때는 조금 더 천천히 읽고, 들을 때는 조금 더 주의를 기울여 듣고, 쓸 때에는 보다 좋은 문장이 되도록 하는 것을 의미합니다. 이게 의외로 시간을 많이 잡아먹어 두려움을 배제할 수 있습니다. 이러한 습관이 되면 시간을 보내는 것이 저절로 충실하게 됨을 느낄 수 있습니다." 우리가 두려운 것은 죽음 그 자체보다도 죽음에 이르는 과정에서 오는 두려움인데 평범한 사람은 인생이 끝난다는 것 자체를 아예 생각하지 않고 시간을 보내는 것이 차라리 낫다고 생각한다는 도츠카 박사의 조언이 필자의 가슴에 와닿는다.

47. 인생은 걸어 다니는 그림자 가련한 배우다

-윌리엄 셰익스피어 -

꺼져라, 꺼져라, 한 순간의 등불! **인생은 걸어 다니는 그림자, 가련한 배우다.** 무대 위에서 과장한 몸짓을 해도 차례가 끝나면 사라진다. 어리석은 자가 말하는 이야기이다[42)]

영화 버드맨에서는 영화의 주인공이자, 한물간 슈퍼 히어로 리건 톰슨(마이클 키튼)이 모든 것을 망쳐버린 최악의 상태로 술에 취한 채 브로드웨이를 거닌다. 이때 배경 음악처럼 이런 외침이 나온다. 셰익스피어의 4대 비극 중 하나인 『맥베스』에 나오는 유명한 대사이다. 궁지에 몰려 죽음을 앞둔 맥베스가 회한에 차 던지는 대사다. 원문은 다음과 같다.

---

42) 영화 버드맨에서

내일 또 내일, 또 내일, 이렇게 시간은

종종걸음으로 하루하루를 걸어가

끝내는 역사의 마지막 한순간에 이른다.

어제라는 날은 모두 어리석은 인간이 먼지가 되는

죽음으로 가는 길을 비춰왔다

꺼져라, 꺼져라, 한순간의 등불!

인생은 걸어 다니는 그림자, 가련한 배우다.

무대 위에서 과장한 몸짓을 해도

차례가 끝나면 사라진다.[43]

던컨 왕을 시해한 이후 삶의 의미가 사라져버린 맥베스에게 인생은 '덧없는 촛불,' '걸어 다니는 그림자,' '가련한 배우,' 그리고 '어리석은 자가 들려주는 이야기'일 뿐이다. 봉건제 왕국에서 왕은 만물의 중심이니까. 맥베스는 던컨 왕의 총애받는 개선장군이었다. 부족함이 없었지요. 그러나 "왕이 되실 분!"이라는 마녀들의 유혹과, 왕관에 미혹된 아내의 부추김에 떠밀려 자신의 성(城)에 손님으로 왕림한 왕을 시해하고 만다. 그 왕을 시해함으로써 맥베스의 인생에는 '술 찌꺼기만 남아'(2.3.94) 있는 형국이 되었다. 시해 직후, 맥베스가 이 형국을 이렇게 고백한다.

지금 이 순간부터, 우리의 삶속에 의미를 지닌 건 아무것도 없다.

모든 것은 다 하찮은 장난감에 불과한 것. 명예도 미덕도 다 죽어 사라졌다.

생명의 포도주는 다 쏟아졌고, 술 창고에는 찌꺼기만 남아 뽐내고 있다.[44]

---

43) 맥베스 5막 장 5절 맥베스의 독백
44) 맥베스 2.3.90~94

어쨌든 맥베스는 왕을 죽이고 왕위에 올랐으나 그의 삶은 결국 아무것도 성취한 것이 없었으며 아무것도 이룬 것이 없는 것으로 귀결되었다. 주체로 알고 살아온 자아는 실체가 아니며 환상에 불과한 존재임을 암시한다. 자신을 행복하게 만들어 주리라 굳게 믿었던 권력을 추구하였으나 그는 그것에서 행복을 얻지 못했다. 맥베스의 5막 5장의 맥베스의 대사만큼 인생의 덧없음을 엄중하게 새기는 말은 달리 없다. 그러나 故 장영희 씨는 '영미 시의 산책'에서 무상한 인생이지만 추구할 가치가 있음을 강조하고 있다. 장영희 씨는 "인생은 죽음으로 향해 가는 행진일 뿐 무상하기 짝이 없다고 작가는 말합니다. 그나마 바람 앞에 깜박이는 꺼질듯 말듯한 촛불처럼 아주 짧은 생명입니다. 그래서 우리들은 걸어다니는 그림자요, 의미 없는 무대 위에 잠깐 등장했다가 사라져서 잊혀지는 슬픈 엑스트라 배우들입니다. 하지만 엑스트라 배우들에게도 분명 제각각 나름대로의 역할은 있습니다. 단역 배우지만 자기가 맡은 작은 역할이 자랑스러워서 짐짓 뽐내보기도 하며 걸어보기도 하고, 짧은 대사나마 조금이라도 잘해 보려고 안달하기도 합니다. 진정으로 마음의 귀를 열면 백치의 이야기에도 분명히 의미는 있습니다. 단, 인생이라는 무대에 연습은 없습니다. 하루하루가 실제 공연입니다. 단역(엑스트라 배우)이라도 오늘 자기가 맡은 역할을 멋지게 해내려는 노력 그 자체에 인생의 참 의미가 있지 않을까요"[45]."라고 하고 있다.

정말로 나는 이 글에서 많은 위로를 받았다. 다른 분들도 충분히 공감하리라 생각한다.

---

45) 장영희의 영미시 산책 중에서

48. 끝이 좋으면 다 좋아

- 윌리엄 세익스피어 -

『끝이 좋으면 다 좋아』 세익스피어 희곡의 제목인 동시에 여주인공 헬레나가 극 중에서 두 번이나 하는 대사다.

지금은 세상을 떠난 명의의 딸 헬레나는 프랑스 왕의 병을 고친 보답으로 연모하던 로살리온의 백작 버트람을 남편으로 삼고 싶다고 말한다. 신분이 낮은 헬레나를 싫어하는 버트람은 형식뿐인 식을 올린 그날, 그녀를 집으로 보내고 자신은 이탈리아로 가서 "내 반지를 입수하고 내 아이도 낳아 준다면 그때는 나를 남편으로 불러도 된다"는 편지를 그녀에게 보냈다. 헬레나는 자신이 죽었다는 소문을 내놓고 버트람을 쫓아 피렌체로 가서 버트람이 어느 과부의 딸 다이애너에게 구애하고 있음을 알아낸다. 헬레나는 그녀를 통해 버트람의 반지를 입수하고 다이애너 대신 그와 잠자리를 가져 아이를 임신한다.

제4막 4장에서 헬레나는 다이애너 모녀에게 프랑스 왕을 찾아가는데 동행해달라고 부탁한 뒤

> 끝이 좋으면 다 좋아요. 끝이야 말로 늘 왕관이거든요.
> 도중에 아무리 풍파가 일어도 마지막이 곧 명예에요[46]

고 말한다.

그리고는 마르세유까지 갔으나 왕이 이미 로살리온을 향해 떠났다는 사실을 알고 과부가 '헛수고했네요"라고 하자

> 아뇨, 끝이 좋으면 다 좋은 거예요
> 비록 지금은 엇갈리고 잘 안되는 것처럼 보여도요[47]

라고 대답한다. 이 이야기는 결국 버트람이 헬레나의 사랑에 눈을 뜨고 해피엔드로 끝난다.

'끝이 좋으면 모두 좋다'는 진짜인지를 실험한 사례가 있다.

어떤 병으로 인해 대장 내시경검사를 실시했을 때에, 다음과 같은 2명의 환자의 데이터가 있었다[48]

환자 A의 경우, 시간은 짧았지만 통증의 피크는 강해 그 피크를 맞이한

---

46) 제4막 제4장
47) 제5막 제1장
48) 조사를 실시한 90년대는 통증이 수반되는 검사였다

직후에 검사가 종료.

환자 B의 경우, 검사 자체도 전체적으로 통증을 느끼는 시간도 길었지만, 환자 A에 비해 피크의 통증은 조금 약하고, 검사가 끝나갈 즈음에 통증이 누그러지면서 종료

검사 시간으로 생각하면 전체적으로 환자 B가 괴로웠을 것인데, 환자 A가 괴로운 경험으로 남았다. 이는 A 환자가 감정 절정의 경험이 괴로웠고 마지막도 나빴기 때문이다. A 환자의 경험을 좋게 하려면 설령 힘든 시간이 길어지더라도 끝맺음을 좋게 하는(아픔이 누그러진 채 마무리되는) 것만으로 전체 경험의 인상은 크게 달라진다고 한다.

「피크·엔드의 법칙」은 심리학자 행동경제학의 대니얼 카너먼(Daniel Kahneman)이 발견한 법칙으로 인간은 자신이 겪은 일에 대해 감정의 절정(최고 또는 최저)과 그 경험이 끝났을 때의 일로 경험의 전체를 판단하는 사고방식으로 이는 마케팅 등에서 다양하게 응용되고 있다.

49. 얼마나 오래 살았느냐가 아니라 얼마나 잘 살았느냐가 문제이다

- 루키우스 안나이우스 세네카 -

세네카는 약 2,000년 전 고대 로마제국의 정치가, 철학자, 시인이며 당대의 정신문화를 이끈 스토아학파의 대표적 철학자이다. 그는 원로원 의원으로 활약했으며 네로의 가정교사를 하기도 했다. 네로가 즉위한 후 악정을 거듭하자 그에게 고언을 하다가 결국 사형선고를 받고 스토아학파답게 스스로 혈관을 그어 욕조에 들어가 자결하였다고 전해지고 있다. 그의 현존하는 작품은 『대화편』과 『서간집』 등의 철학적 해학과 비극을 중심으로 하는 문예 작품이다.

이 명언은 『대화편』 중에서 당시 로마의 식량 장관을 하던 친척 파울리누스에게 보낸 '인생의 짧음에 대하여'에서 나오는 글이다. 인간은 오래 사는 것에 가치가 있는 것이 아니라 어떻게 잘 사는가 하는 것이 중요하다고 역설한다.

그대는 백발과 주름살을 보고 어떤 사람이 오래 살았다고 믿어서는 안되오. 그는 오래산 것이 아니라 오래 생존한 것 뿐이니까요[49)]

세네카는 타인을 위해 분주하게 살거나 자신의 이름이나 지위를 위해 자아를 상실하는 삶에 시간을 빼앗기지 말고 자기에게 보다 충실한 성찰적 삶을 살아가라고 강조한다.

그대는 어떤 사람이 전부터 자주 관복을 입고 다니거나 그의 이름이 광장에서 자주 사람들의 입에 오르내리더라도 부러워하지 마시오. 그것은 인생을 대가로 주고 산 것이지요. 한 해를 자신의 이름으로 불리게 하려고 그는 자신의 모든 해를 희생하게 될 것이오. (중략). 위대한 사람들의 인생이 긴 까닭은 주어진 시간이 얼마든 그것을 모두 자신을 위해 비워두기 때문이지요. 왜냐하면 자신의 시간과 맞바꿀 정도로 가치 있는 것은 아무것도 없다고 생각하기 때문이지요. 그래서 주어진 시간이면 충분한 것이지요.[50)]

그는 위대한 일(자신에게나 사회에 있어서 가치 있는 일)에 시간을 보내라고 역설하면서 철학을 위해 시간을 내는 사람만이 인생의 시간을 잘 건사할 줄 아는 사람이라고 강조한다.

---

49) 인생의 짧음에 대하여'
50) 전게서

이 학문은 그대에게 신의 실체와 의지와 성질이 형태가 어떤 것이고, 어떤 운명이 그대의 영혼을 기다리고 있는지, 우리가 육신에서 해방되면 자연은 우리를 어디로 데려가는지, 어떤 힘이 우주의 가장 무거운 성분을 한가운데에 붙들어두고 가벼운 성분을 그 위에 떠다니게 하고 불은 맨 위로 가져가고 별자리들의 위치를 바꾸게 하는지 .그 밖에도 매우 경이로운 일들을 가르쳐줄 텐데도 말이오.[51]

이처럼 철학적 사색만이 위대한 삶이라고 못 박는 세네카의 주장에는 동의하지 않는다. 그러나 그가 말한 대로 인생의 종착지에 이르러서야 내내 하는 일 없이 분주하기만 했다는 것을 뒤늦게 알고 후회하는 가련한 삶이 되지 않도록 자신의 인생 목적이나 목표를 분명히 하여 그것을 달성하기 위하여 몰두하는 삶을 살아가는 것이 세네카 流의 '잘 사는 것'이라는 주장은 동의한다.

51) 전게서

50. To be or not to be that is the question

- 윌리엄 셰익스피어 -

세익스피어 작품 중에서 가장 유명한 대사다. 전 문학작품 중 가장 유명하다고 해도 과언이 아니다. 셰익스피어의 대표작 『햄릿』 3막 1장에 나오는 주인공 햄릿의 독백 'To be, or not to be, that is the question' (사느냐, 죽느냐, 그것이 문제로다)이다. 덴마크 왕자 햄릿은 독살당한 아버지의 망령을 만나 현재의 왕인 숙부 클로디어스에게 복수하라는 명령을 받는다. 하지만 햄릿은 숙부가 아버지를 죽였다는 사실을 알고 자신을 포함한 인간 자체를 믿을 수 없게 된 탓인지 곧바로 복수를 결행하지 않고 번민하면서 공허한 나날을 보낸다. 어느 날 그런 자신을 돌아보며 위와 같은 독백을 시작한다.

8년 전 셰익스피어 서거 400주년을 맞아 문화계가 분주하던 중 가장 눈길을 끌었던 게 'To be, or not to be' 번역이다. 햄릿의 첫 한국어 번역인 극작가 현철의 '하믈레트'(1923)에서 '죽음인가 삶인가 이것이 의문이다'로 번역한 이후 100년 가까운 세월 동안 가장 많이 입에 오른 게 '사느냐, 죽느냐'였다. 세익스피어는 중요한 독백의 첫 행을 모호하게 시작하고는 다음 행부터 구체적으로 설명하곤 하는데 햄릿은 둘째 행에서 다음과 같이 말한다.

가혹한 운명의 돌팔매와 화살을 참고 견디는 것이 장한 일인가
아니면 거친 파도처럼 밀려드는 재앙에 맞서 싸워 물리치는 것이
장한 일인가?

즉 'to be'란 이대로 운명을 견디며 살아가는 것이고 'not to be'는 더 이상 이대로 있지 않고 운명과 싸우는 것이다. 운명과 싸우면 인간은 패배하여 죽을 게 뻔하다. 간단히 말하자면 현 상황을 유지하며 하릴없이 살 것인가 죽음을 무릅쓰고 현 상황을 타파할 것인가 두 갈래 길에서 햄릿은 고민하고 있는 것이다. 최근 이상섭 연세대 명예교수와 설준규 한신대 명예교수가 이 대사를 새롭게 풀어냈다. 이상섭 교수는 '존재냐, 비존재냐'로 옮겼다. 시인 셰익스피어, 철학도 햄릿의 캐릭터를 살피고 여기에 우리말 4·4조 리듬을 유지했다고 설명했다.
설준규 교수의 번역은 새롭다. '이대로냐, 아니냐'로 풀었다. 이 대목은 한번으로 끝나면 그만인 삶과 죽음 사이의 선택이 아니라 " 이대로냐 아니냐" 즉, 지금의 이 현실을 받아들일 것인가. 아니면 그것을 넘어설 것인가 하는 근원적 삶의 방식에 관한 질문이라는 것이다. 설 교수의

말을 빌리면 삶의 방식에 대한 근본적 점검이 필요한 때다.
설 교수는 'To be, or not to be, that is the question의 다음 행을 아래와 같이 번역했다.

어느 쪽이 더 장한가, 포학한 운명의/ 돌팔매와 화살을 마음으로 받아내는 것,/ 아니면 환난의 바다에 맞서 무기 들고/ 대적해서 끝장내는 것

『 세익스피어, 인생의 문장들 (오다시마 유시)』에서 저자는 "To be, or not to be, that is the question"를 " 이대로 있어도 될까, 안 될까 그것이 문제로다."로 번역했다. 한편으로 저자는 자신의 지인이며 햄릿을 연출한 바 있는 영국 출신 존 데이비드는 이 구절을 " 지금 이대로의 나여야 할까, 그렇지 않아야 할까? Should be as I am, or shouldn't be as I am" 로 번역했다고 하면서 자신과 유사한 번역이라고 자찬했다. 햄릿은 이 대사를 독백으로 반성하면서 말한다. 무대에는 햄릿 혼자다. 스스로를 향한 말이므로, 자신의 본연의 자세를 고민하고 있는 말이다. 그러나 무대에는 혼자이지만 무대의 객석에는 많은 사람들이 그것을 듣고 있다. 이 말은 햄릿 스스로를 향한 말인 동시에 관객을 향해 말하고 있다고도 할 수 있을 것이다. 세익스피어가 관객과 독자들을 향한 말이기도 하다. 그렇게 생각하면 "the question."이란 세익스피어가 우리에게 제시한 문제일지도 모른다. "이것이 문제"라고 우리에게 주어진 물음이 " To be, or not to be" 라고 생각할 수도 있다.

51. 거리낌 없이 한 시간을 낭비하는 사람은 아직 삶의 가치를 발견하지 못한 사람이다

- 찰스 다윈 -

다윈은 도심에 살고 있었는데 여러 사람들이 다윈을 찾아오거나 파티에 초청하는 등 여러 이유로 연구에 몰두하기 어려웠다. 이에 다윈은 살고 있던 도회지 집을 팔고 사람이 오지 못하는 교외의 작은 마을에 집을 짓고 이사 간다. 그저 사람이 찾아오지 않는 것이 아니라 일절 방해받지 않고 연구에만 몰두하는 거의 은거 생활이나 다름없었다. 그런 생활을 40년간이나 계속한다.

다윈의 일과는 마치 시계로 잰 듯한 리듬으로 연구하였다. 그런 연구 리듬을 깬 적은 자녀 탄생 때와 저작 출판을 위하여 외출할 때뿐이었다고 한다. 가족을 사랑하면서도 어떤 것에도 타협하지 않는 시간 사용 방법이 그를 대학자로 만든 셈이다. 참으로 자신이 하고 싶은 일을 위해서만 시간을 사용한 다윈의 연구의 열정에서 나온 명언이다

죽음이란 어떤 사람에게도 똑같이 찾아온다. 시간에 차이는 있지만, 틀림없이 찾아온다. 즉, 사람에게 주어진 시간은 사람에 따라 다를지라도 유한이라고 할 수 있다. 유한이기에 삶은 가치가 있다. 휴식과 자신이 재미있는 것을 하는 것은 시간 낭비가 없다. 거기에는 피로를 풀거나 스트레스 해소라는 목적이 있거나 즐거운 일을 한 경험이 자신의 인생을 풍요롭게 하는 효과가 있기 때문이다. 이것은 낭비는 아니다. 즉, 논다고 해서 반드시 낭비하는 것은 아니라는 것이다. 낭비하는 것은 자신의 인생에 있어서 아무것도 하지 않는 것에 다름없다. 듣고 싶지도 않은 사람의 푸념을 듣거나[52], 이야기가 정리되지 않은 긴 회의, 하고 싶은 것이 없는데 찾을 생각도 하지 않고 현실 도피하는 행위, 모두 잘못된 것이다. 자기 시간뿐 아니라 타인의 시간까지 잡아먹는 것은 나쁜 습관이다.

타인의 시간을 낭비하지는 않는지 확실하게 생각하는 것이 좋다. 자신에게는 낭비가 아니더라도 다른 사람에게는 낭비가 될 수 있기 때문이다. 누구나 유한한 시간을 갖고 있는데, 그중에 시간을 할당할 만한 가치가 있는가 자문자답을 해보는 거다. 가치관은 사람마다 다 다르다. 예

---

52) 정말 그 사람에 대한 생각하며 스트레스를 해소시켜주고 싶다고 말한다면 이야기는 달라진다

를 들어, 어떤 사람은 전화를 받는 것이 시간을 낭비하게 사용하고 있다고 느끼기 때문에 모든 사람들에게 이메일 메시지를 보내는 사람도 있다. 이렇게 자신과는 다른 가치관도 있다는 것을 명심해야 한다.

시간은 유한하고, 우리는 그 유한한 시간 속을 살아가고 있다.
삶은 유한하기에 가치가 있다.
유한한 인생에서 무엇을 이룰 것인가는 자신에게 달려있다.

52. 사람들에게 도움이 되기 위한 삶을 살아라

- 안소니 로빈스 -

빌딩 청소부 아르바이트를 하면서 17세부터 2년간 약 700권의 성공철학과 심리학에 관한 책을 독파하고 NLP 창시자 리챠드 밴들러, 자기개발의 대가 짐 론의 가르침을 바탕으로 약관 24세에 억만장자가 된 세계 No1.의 코치 안소니 로빈스.
그런 그가 발행한 『나를 일순간에 바꿔준 명언집』에서 발췌한 명언이다. 그는 명언집에서 마더 테레사 수녀의 사례를 들고 있다. 즉 마더 테레사도 처음부터 성인같은 여성은 아니었고 빈곤 지역에 발을 들여놓은 적도 없었는데 우연히 사경을 헤매는 여성을 만나 자신의 팔 안에서 숨을 거둔 여성의 죽음을 계기로 삶의 방향이 바뀌었다고 한다.

마다 테레사처럼 세상에 무언가 공헌하려고 노력하는 것을 통해 인생의 목적, 삶의 방식을 명확히 하여 누구보다도 충실한 인생을 보낼 수 있다. 잠언 3장 27, 28절에도 '도움을 베푸는 삶을 살아라'[53]고 나와 있듯이 우리는 누구를 위해 도움이나 공헌하는가를 생각하지 않고는 진정한 인생의 비전이나 계획을 세우기 어렵다. 게다가 '타인이나 사회에 공헌한다'는 마음을 먹게 되면 자신을 위해서 일하는 경우보다 일에 임하는 의식이 높아지고 달성감을 얻기 위해 자신의 베스트를 다하려고 노력하기 때문이다. 안소니 자신도 빈곤한 가정에서 자라났지만 감사절에 전혀 낯선 집에 들려 축하받으며 식사 대접을 받고 감동과 감사의 마음을 경험하였다. 그로 인해 자신도 사람들에게 도움이 되는 인생을 살겠다고 마음먹고 19살부터 식사를 나누어 주는 봉사 활동을 시작한 후, 지금은 매년 56개국 수백만 명에게 식사를 나누어주는 규모로 커지게 되었다고 한다. 그렇게 확대된 원동력은 어려운 사람들이 기뻐하는 것도 있지만 무엇보다도 그 일을 하면서 본인이 가장 큰 만족을 느끼기 때문이라고 한다. 우리가 인생의 마지막에 평가받는 것은 얼마나 모았는가에 있지 않고 일생을 통해 얼마나 이 세상에 공헌하고 사람들에게 감사받는 삶을 살았는가에 달려있다고 제라르 산드리는 말하고 있다

당신은 사람들에게 도움이 되는 삶을 살고 있습니까?

그것이 당신이 이루고자 하는 목표를 달성하는 방법임을 알고 있습니까?

53) 네 손이 선을 베풀 힘이 있거든 마땅히 받을 자에게 베풀기를 아끼지 말라

(명언 모음 4)

스티브 잡스의 16가지 명언 모음

1. "지난 33년 동안 저는 매일 아침 거울을 보고 스스로에게 '오늘이 내 인생의 마지막 날이라면 오늘 할 일을 하고 싶습니까?'라고 자문했습니다. 그리고 그 대답이 너무 많은 날 연속해서 '아니오'일 때마다 나는 무언가를 바꿔야 한다는 것을 압니다."

2. "세상을 바꿀 수 있다고 생각할 만큼 미친 사람이 바로 그렇게 하는 사람입니다."

3. "당신의 일은 인생의 많은 부분을 채울 것이며 진정으로 만족할 수 있는 유일한 방법은 위대한 일이라고 믿는 일을 하는 것입니다. 그리고 위대한 일을 할 수 있는 유일한 방법은 당신이 하는 일을 사랑하는 것입니다. 아직 찾지 못했다면 계속 찾으십시오. 안주하지 마십시오. 마음의 모든 문제와 마찬가지로 그것을 발견하면 알게 될 것입니다."

4. "당신이 죽을 것이라는 것을 기억하는 것은 당신이 잃을 것이 있다고 생각하는 함정을 피하는 가장 좋은 방법입니다. 당신은 이미 알몸입

니다 (가진게 아무 것도 없는 상태). 당신의 마음을 따르지 않을 이유가 없습니다."

5. "품질의 척도가 되십시오. 어떤 사람들은 탁월성이 요구되는 환경에 잘 적응하지 못하기도 합니다."

6. "인생에서 가장 좋아하는 것은 돈이 들지 않습니다. 우리 모두가 가진 가장 소중한 자원은 시간이라는 것이 분명합니다."

7. "용기를 내어 마음과 직관을 따르십시오. 그들은 어떻게든 당신이 진정으로 되고 싶은 것이 무엇인지 알고 있습니다."

8. "묘지에서 가장 부자가 되는 것은 나에게 중요하지 않습니다. 밤에 잠자리에 들며 멋진 일을 했다고 말하면서… 그게 나에게 중요합니다."

9. "가장 큰 것은 마음과 영혼을 장기간에 걸쳐 무언가에 넣을 때이며 그만한 가치가 있습니다."

10. "여전히 배고프며, 여전히 어리석으라" (의역: 늘 갈망하고 늘 자만하지 말라)

11. "저는 23살에 백만 달러가 넘었고 24살에 천만 달러가 넘었고 25살에 1억 달러가 넘었습니다. 돈은 그다지 중요하지 않았습니다. ."

12. “미친 자들, 부적응자, 반란군, 말썽꾸러기, 사각 구멍에 있는 둥근 못… 사물을 다르게 보는 사람들 - 그들은 규칙을 좋아하지 않습니다… 당신은 그들에 동의하지 않습니다. 그래서 당신은 그들을 비방할 수는 있지만, 그들이 일을 변화시킨다고 그들을 무시하면 안되는 것입니다. 그들은 인류를 전진시킵니다. 어떤 사람들은 그들을 미친 사람으로 볼 수도 있지만 우리는 천재라고 봅니다. 세상을 바꿀 수 있다고 생각하기에 충분합니다.

13. “때때로 인생은 벽돌로 당신의 머리를 때립니다. 믿음을 잃지 마십시오.”

14. “당신은 무언가를 믿어야 합니다. 당신의 직감, 운명, 삶 등 무엇이든. 이 접근 방식은 나를 실망시킨 적이 없습니다.”

15. “성공적인 기업가와 성공하지 못한 기업가를 구분하는 것의 약 절반이 순수한 인내라고 확신합니다.”

16. “시간이 제한되어 있으므로 다른 사람의 삶을 살면서 시간을 낭비하지 마십시오. 다른 사람들의 생각의 결과에 따라 살아가는 교리에 갇히지 마십시오. 다른 사람의 의견이 내면의 목소리를 앗아 가게 하지 마십시오. 그리고 가장 중요한 것은 마음과 직관을 따르는 용기를 갖는 것입니다.

CHAPTER 5

성공

53. 성공은 대개 그를 쫓을 겨를도 없이 바쁜 사람에게 온다

- 헨리 데이비드 소로우 -

헨리 데이비드 소로우 (Henry David Thoreau)는 미국의 작가, 사상가, 시인, 박물학자이다. 사회의 문명이 고도화, 복잡화되면서 인간의 삶의 방식을 단순화하고 자연과 함께 살아가고자 하는 사람들이 늘어나고 있는데 이러한 사람들의 선구자 격이라 할 수 있는 사람이 바로 헨리 소로우다.

그는 월든 호반의 숲속에서 단돈 28달러만 가지고 통나무집을 짓고 혼자 자급자족을 하면서 2년 2개월을 보내면서 이를 기록 정리한 저서 『월든』은 미국 작가 화이트가 '대학 졸업장 대신 한 권씩 나누어 주는 것이 어떻겠는가'고 까지 했을 정도로 후세에 지대한 영향을 미쳤다. 그는 오두막을 나와서 고향 집에서 막일이나 측량 강연 등을 통해 돈을 벌고 그 돈으로 산책, 자연 관찰, 독서 집필 등을 하면서 자기 탐구에 몰두했다. 그는 지금도 전 세계 자연 애호자나 심플라이프를 지향하는 사람들의 전폭적인 지지를 받고 있으며 그가 숲에서 모색한, 인간과 자연의 관계에 대한 성찰은 생태주의와 환경운동의 자극제였고, 간디에게 영향을 주었다는 시민 불복종은 민주주의 절차가 보장된 현대 사회에서의 저항방법으로서 폭넓은 공감을 불러일으켰다.

소로우가 살던 19세기와 지금은 150년이라는 세월의 차이만큼 엄청나게 달라졌지만 오히려 그가 강조하는 자연에 대한 예찬, 단순하고 검소한 생활, 산업화로 인해 급격하게 변해가는 세상을 향한 통렬한 비판은 바로 우리 현실에 들어맞는다. 왜냐하면 우리는 그토록 소로우가 경계했던 물질만능주의. 상업주의, 출세주의. 소비주의에 묻혀 살아가는 통에 정작 중요한 것이 무엇인지 잊은 채 살고 있기 때문이다

지금 소개한 명언처럼 소로우나 에머슨이 생각하는 성공이란 자신이 하고 싶은 것 자신이 해야 하는 것을 하면서 자신의 꿈을 좇아가는 것을 성공이라고 생각하는 것 같다. 이러한 성공의 개념에는 필자도 동의한다. 그의 저서 월든의 말미에서도 그런 의식을 엿볼 수 있었다.

'사람이 자기 꿈의 방향으로 자신 있게 나아가며 자기가 그리던 바의 생활을 하려고 노력한다면 그는 평소에는 생각지도 못한 성공을 맞으리라 ' [54]

사회적으로 크게 성공한 것이 과연 참 성공이라고 할 수 있는가? 돈을

54) 월든에서 인용

얼마 모았다고 사회적으로 높은 지위에 올랐다고 즐거워하는 것이 성공인가? 그렇다면 과연 행복한가? 단지 형식적인 외면의 성공으로 만족을 얻으려고 하지만 결코 만족하는 경우가 드물다. 헨리 소로우는 그런 사람들의 고민에 대해 다음과 같이 간명하게 표현한다

왜 우리는 그처럼 성공하려고 필사적으로 서두르며,
그토록 무모한 도전을 하는 것일까

사람들이 성공한 삶이라고 생각하며 추종하는 삶은 그저 살아가는 한 방식에 불과하다. 하나의 길일 뿐이다. 그 길을 제외한 모든 방식의 삶을 우습게 보며 단지 하나만의 삶을 과대평가하고 그 삶을 이룩하기 위해 인생의 대부분의 시간과 에너지를 써야 하는 댓가를 치룰 이유가 어디에 있는가 하고 소로우는 말하고 있다. 가질수록 상대와 비교함으로써 더 불행하다고 여기는 삶을 살고 있는 현대인에게 그의 삶과 사색은 울림과 깨달음을 준다. 소로우에게 있어 생활은 삶의 방편이지 인간이 도달해야 할 지향점은 아니다. 오히려 인생에 대한 무지(無知)와 더 나은 삶에 대한 의지의 부족을 문제 삼는다. 소로우가 강조하는 정신은 자신의 사고와 행위에 대한 반성적 사고(思考), 인류의 삶에 대한 성찰, 올바른 사회를 향한 통찰 등의 교양이다. 자연의 단순한 생활을 통해 풍부한 내면의 세계를 중시하는 삶을 강조한다.

나는 가구 중 일부는 스스로 만들었고 나머지는 사람들에게 얻었다. 침대 하나, 탁자 하나, 의자 하나, 직경 3인치 거울 하나, 부젓가락 한 벌과 장작 받침쇠

하나, 주전자 하나, 냄비 하나, 프라이팬 하나, 국자 하나, 세숫대야 하나, 나이프와 포크, 두 벌 접시 셋, 컵 하나, 스푼 하나, 기름 항아리 하나, 당밀 항아리 하나, 그리고 옻칠한 램프 하나가 내가 가진 전부였다[55]

나이 들면서 필요한 것은 주변 사람에 대한 배려, 유머 감각, 진솔함과 부드러움인데 이런 자질은 느림 속에서 자라나는 속성이다. 바쁘게 살다 보면 나 자신뿐만 아니라 주변을 볼 수 있는 여유가 없다. 여유가 있어야 다른 사람들이 눈에 들어오고 그들을 위해 무엇을 할 수 있을까 하는 것을 알 수 있을 텐데...그래서 ' 단순하고 느린 생활로 향하라'고 소로우는 충고한다.

간소화 하라. 간소화하라. 간소화하라

할 일을 두 세 가지로 줄여라. 백 가지나 천 가지로 되게 하지 마라

몰두할 대상을 찾는 것도 중요하다. 주위의 모든 잡념, 방해물들을 차단하고 원하는 어느 한 곳에 자신의 모든 정신을 집중하는 일이다. 소로우는 홀로 있는 시간을 늘리라고 강조한다. 인간의 삶이란 결국 홀로 살아가는 것이 아닌가.

나는 더 많은 시간을 홀로 보내는 것이 유익하다고 생각한다. 아무리 좋은 친구라 하더라도 계속 함께 있으면 싫증이 나고 허투루 쓰게 된다. 나는 혼자 있는 것이 좋다. 고독만큼 같이 있기 좋은 친구를 아직 만나보지 못했다. 대개 우리는 방 안에 혼자 있을 때보다 밖에 나가 사람들과 어울릴 때 더 외롭다[56]

---

55) 전게서
56) 전게서

54. 지금 하는 일에 모든 정신을 집중하라 햇빛은 하나의 초점에 모아질 때만 불꽃을 내는 법이다

- 알렉산더 그레이엄 벨 -

이 명언은 일점 집중에 대한 내용이다.

알렉산더 그레이엄 벨의 일생은 오직 소리에 점철되어 있다. 벨의 아버지, 할아버지, 형제는 모두 말과 웅변을 가르쳤으며, 그의 어머니와 아내는 모두 귀머거리여서 소리의 과학에 거의 집착하게 되었다. 벨은 아버지의 발자취를 따라 사람들에게 말하는 방법을 가르치는 일을 시작했다. 그러던 중 인간의 목소리를 유선으로 보낼 수 있는 기계를 발명할 수 있다는 당시로서는 상상할 수 없는 아이디어를 냈다. 그는 서로 다른 사운드 주파수를 사용하여 한 번에 하나 이상의 메시지를 보낼 수 있는 전신을 실험했다. 그는 1874년에 자신의 작업을 도운 전기 엔지니어인 Thomas Watson을 만나기 전까지는 발명품으로 많은 성공을 거두지 못했다. 1876년 3월 10일, 벨은 전화를 걸었다! 이 날짜는 벨이 역사상 처음으로 전화를 거는 날을 표시한다. 말할 것도 없이 몇 번의 시연 후에 수천 명의 사람들이 모두 그것을 원했다.

'지금 하는 일에 모든 정신을 집중하라.
햇빛은 하나의 초점에 모아질 때만 불꽃을 내는 법이다'

이 명언은 그의 5가지 필생 교훈(5 Must-Read Life Lessons from Alexander Graham Bel)인 1) Development 2) preperation 3) concentration 4) Look for Open Doors 5) Steady Progress 중 3번째로 꼽은 concentration 교훈에 들어 있다. 설명문은 다음과 같다.

이 힘이 무엇인지 말할 수 없습니다. 내가 아는 것은 그것이 존재한다는 것이고 그것은 그가 원하는 것을 정확히 알고 그가 그것을 찾을 때까지 그만두지 않기로 완전히 결심한 마음의 상태에 있을 때만 가능하다는 것입니다. 집중하고 있습니까? 현재 작업에 모든 힘을 집중하고 있습니까? 힘을 집중하지 않으면 잠재력을 결코 알 수 없습니다[57]

어떤 분야에서든 최고의 자리에 오른 사람들, 그들은 누구나 일점 집중력을 갖고 있었다. 성공이냐 실패냐, 꿈을 이루느냐 이루지 못하느냐는

57) .5 Must-Read Life Lessons from Alexander Graham Bel

결코 타고난 능력에 의해 좌우되지 않는다. 환경이나 학력에 의해 좌우되는 것도 아니다. 그것은 후천적으로 몸에 익힌 '어떤 능력'에 의해서 결정된다. 그 능력이 바로 '일점 집중력'이다. 일점 집중력은 말 그대로 하나에 집중하는 능력이다. 특히 능력을 발휘해야 할 시점에서 최대치의 능력을 끌어올려 발휘하는 힘이며, 불필요한 것은 과감히 버리고 한 점에 에너지를 집중하는 능력이다. 다음은 일점 집중력에 관한 일화다.

뉴턴이 학생 때 일이다. 뉴턴이 수학 문제를 푸는 데 온통 정신을 쏟아붓자, 짓궂은 친구 하나가 뉴턴을 놀려 주기로 했다. 친구는 뉴턴의 도시락을 살짝 꺼내어 먹어 버렸다. 뉴턴은 친구가 옆에서 자기 도시락을 먹는 것도 모르고 수학 문제를 풀고 있었다. 점심시간이 돼 도시락을 꺼낸 뉴턴은 도시락이 텅 비어 있는 것을 보고 말했다. "내가 도시락을 먼저 먹었는데 잊어버린 모양이네." 뉴턴이 도시락 뚜껑을 닫고 태연하게 수학 문제를 다시 푸는 모습을 본 친구는 어이없어했다고 한다.

베토벤도 마찬가지였다. 하루는 식당에 앉자마자 종이를 꺼내 악보를 그리기 시작했다. 하도 오랫동안 집중해서 악보를 그리고 있자, 기다리던 식당 종업원이 베토벤에게 다가가 말을 붙였다. "손님, 저……." 종업원의 말이 끝나기도 전에 베토벤은 지갑을 꺼내며 말했다. "미안해요. 내가 아직 식사 값을 안 낸 모양이군." 아직 주문도 하지 않은 음식의 값을 내려고 하는 베토벤을 보고 종업원은 깜짝 놀랐다.

돋보기로 햇빛을 모아 종이에 불꽃을 피우려면, 오랫동안 한곳에 초점을 집중해 맞춰야 한다. 뉴턴과 베토벤은 자신의 일에 몸과 마음, 영혼을 바쳤다. 자신이 하고 싶은 일에 온통 정신과 열정을 쏟아야만 그 분야에서 성공할 수 있는 것임을 알려주고 있다.

55. 로켓에 올라탈 자리가 주어진다면 어떤 좌석인지 물어보지 말라 그냥 타라

- 세릴 샌드버그 -

페이스북의 마크 저커버그가 삼고초려 해서 모셔갔다는 그녀, 최초의 여성 대통령이 나온다면 그녀일 것이라는 세릴 샌드버그. 그녀가 말한 명언은 스타트업에서 채용 시 자주 사용하는 말이다. 이 말은 그녀의 저서 『린-인』에 소개되기도 했는데 하버드 대학교 졸업 축사를 보면 그녀가 아니라 구글의 CEO 에릭 슈미트가 그녀에게 한 말이다.

다음은 하바드 졸업 축사에서 다음과 같이 말했다. “내가 스프레드시트에 정리해 두었던 취업 자리 중 하나는 구글의 첫 비즈니스유닛 담당 부문장이었다. 지금 들으면 괜찮은 자리로 들리지만 그 당시에는 아무도 일반소비자를 대상으로 한 인터넷 회사가 돈을 벌 수 있을 것이라고 생각하지 않았다. [58] 나는 솔직히 그 포지션이 존재하는지조차도 의심스러웠다. 구글은 당시 비즈니스 부문이 없었다. 그렇다면 도대체 무엇을 매니지하라는 말인가? 그리고 그 자리의 타이틀은 내가 다른 회사에서 받은 제안보다 몇 단계 급이 낮은 것이었다. 그래서 나는 당시 막 CEO가 된 에릭 슈미트와 마주 앉았다. 그리고 내가 정리한 내 잡 오퍼를 담은 스프레드시트를 그에게 보여주며 구글이 제시한 포지션이 내 기준에는 하나도 미치지 못한다는 것을 강조했다. 그는 내 스프레드시트에 손을 올리더니 나를 바라보며 말했다. “멍청한 소리 하지 마세요.(Don't be an idiot)” 훌륭한 커리어 조언이었다. 그리고 그는 말했다.

“로켓에 올라타세요. 회사가 빠르게 성장할 때에는 많은 충격이 있고 커리어는 알아서 성장하게 되어 있습니다. 그런데 회사가 빠르게 성장하지 못하고 회사의 미션이 별로 얘기가 안될 때에는 정체와 사내 정치가 시작됩니다. <u>로켓에 자리가 나면 그 자리가 어디 위치했는지 따지지 마세요. 우선 올라타세요.”</u>

약 6년 반 뒤 내가 구글을 떠날 무렵, 나는 그 에릭 슈미트의 조언을 가슴으로 받아들였습니다. 나는 많은 회사에서 CEO직을 제의받았습니다. 하지만 나는 페이스북에 COO로서 조인했습니다. 당시 사람들은 내게 왜 23살짜리를 위해서 일하러 가느냐고 했지요. 전통적인 커리어를 위한 메타포는 사다리입니다. 하지만 내 생각에 이런 비유는 더 이상 유효하지 않습니다. 오늘날의 덜 계급적인 세상에서는 맞지 않다고 생각합니다. [59]

---

58) 2001년 당시는 닷컴 버블이 막 꺼진 절망적인 상황이었다

어떤 면에서 Sheryl과 Eric은 Marc Andreessen의 경력 조언을 반영하고 있다. 앞으로 취업이나 전직을 고려하는 분들에게 필요한 말이다.

큰 연못에서 작은 물고기가 되는 것에 대해 걱정하지 마십시오. 작은 연못에서 큰 물고기가 된다는 것은 짜증 납니다. 당신은 빨리 성취할 수 있는 것에 대해 천장에 부딪힐 것이고 아무도 신경쓰지 않을 것입니다. 찾을 수 있는 가장 역동적이고 흥미진진한 연못에 있도록 항상 최적화하십시오. 그곳에서 큰 기회를 찾을 수 있습니다. 60)

Andreessen은 또한 다음과 같은 이유로 "시작할 때 경험을 얻을 수 있는 가장 좋은 장소는 젊고 성장하는 회사에서"라고 권장한다.

많은 일을 할 수 있습니다. 회사에서 할 일이 너무 많아서 처리할 수 있는 한 많이 할 수 있을 것입니다. 즉, 기술과 경험을 매우 빠르게 습득할 수 있습니다. 당신은 아마 빨리 승진할 것입니다. 빠르게 성장하는 기업은 항상 만들어지고 있는 모든 중요한 새로운 리더십 일자리에 발을 들여놓을 수 있는 인력이 만성적으로 부족하다는 특징이 있습니다. 당신이 공격적이고 잘 수행한다면, 승진은 빠르고 쉽게 올 것입니다.

---

59) 번역:에스티마의 인터넷이야기 EstimaStory.com, 영어원문 출처 Poets & Quants : Sheryl Sandberg's Inspiring Speech At Harvard Business School)
60) https://jasoncrawford.org/get-on-a-rocket-ship

56. 타인의 이익을 도모하지 않고는 자신의 번영은 있을 수 없다 사람은 받는 것보다 주는 쪽이 훨씬 행복한 법이다

- 앤드루 카네기 -

미국의 실업가. 대부호. 아메리칸드림의 상징인 앤드루 카네기. 스코트랜드 태생인 그는 12살 때 가족과 같이 미국으로 이민, 주급 1달러 20센트를 받고 방적공장에 취직한다. 이후 모르스 신호를 배워 18세에 전신 기사로 승격 책임자가 된다. 아직 보급이 안된 침대차 회사에 투자하여 부(富)를 축적. 이어서 장래 철교(鐵橋)가 장래성이 있다고 판단하여 철교회사를 창설하게 된다. 이후 철교회사를 발판으로 철강업에 진출, 카네기 철강을 설립하여 미국 철강의 25%를 점유할 정도로 성장한다. 지금의 US 스틸 회사를 세운 후에는 곧바로 카네기 철강을 매각하고는 은퇴하여 '카네기 재단'을 설립, 자선가로 활동하여 83세를 일기로 작고한다. 모든 것을 일구어내어 오늘날 아메리칸드림의 상징이 된 그의 묘비명은 그래서 더 유명하다.

" 여기 자기보다 현명한 사람을 주위에 모이게 하는 법을 터득한 자 이곳에 잠들다 "

이 명언은 장사만이 아니라 인간사회의 기본은 눈앞의 이익에만 눈을 돌리지 말고 어떻게 사회에 공헌할 것인가. 어떻게 사람들에게 도움이 될 수 있을 것인가를 생각하면서 행동하라는 가르침이다.
프랑스 요리를 배우는 요리사가 파리에서 수행 중인 승려에게 물었다. " 좀 더 점포를 번창하게 하고 싶고 좀 더 유명한 요리사가 되고 싶은데 어떻게 하면 좋겠습니까? " 하고 묻자 승려는 " 당신이 바라는 것은 오직 자신에게 유리한 것뿐이다. 그렇게 되면 고객은 손해다. 고객이 이득을 보는 방향으로 바로 잡으라"고 충고하더란다.
자신의 사업으로 돈을 벌고 싶으면 사람이나 기업이 안고 있는 문제들을 찾아내는 것부터 시작해야 한다. 지금 사람이 안고 있는 고민, 사회가 풀어야 할 과제를 찾아내어 그것을 해결할 수 있는 방책을 찾아 세상에 내놓는 것이 바로 사업이요 일거리가 된다.
카네기가 목교였던 다리가 타버리자 앞으로는 철교가 세상에 도움이 될 것으로 판단하여 제철업에 뛰어든 것처럼 모든 일의 근원은 눈앞의 이익이 아니라 어떻게 세상에 공헌할 것인가 어떻게 남에게 도움이 될 수 있을 것인가 어떻게 고객을 기쁘게 할 것인가 하는 것을 찾아내어 거기에 따른 가치를 제공하는 것에서부터 시작하는 것임을 명심해야 한다.

57. 낮에 꿈을 꾸는 사람은 밤에만 꿈을 꾸는 사람이 놓치는 수많은 것을 깨달을 수 있다

- 에드거 엘런 포우 -

에드거 앨런 포우는 근대 미국이 배출한 가장 뛰어난 시인이자 소설가, 잡지 편집자로 미국에서 문필만으로 입신출세한 최초의 저명한 작가로 알려져 있다. 또 한편으로는 추리라는 소설 장르가 오늘날 깊이 뿌리 내리게 한 데에 크게 일조한 창시자 격인 작가이기도 하다. 특히 『모르그 가의 살인사건』에서 만들어 낸 심리를 꿰뚫는 '오귀스트 뒤팽'이라는 인물상은 이후의 '셜록 홈즈', '아르센 뤼팽' 등의 추리소설에서의 탐정 캐릭터들이 만들어지는 데 큰 영향을 끼쳤다고 한다. 그러나 정작 모국인 미국 문단에서는 배척받았던 그는 40세로 노상에서 파란 많은 생애를 마칠 때까지 22년간 창작활동을 통해 많은 작품을 남겼다.

꿈에는 두 가지가 있다.

누군가가 당신에게 꿈이 무엇인가를 물었을 때 답할 수 있는 이상과 환상도 꿈이고 수면 중 무의식 상태로 펼쳐지는 한 편의 영화도 꿈이다. 에드거 알렌 포우는 전자를 낮에 꾸는 꿈, 후자를 밤에 꾸는 꿈이라고 한 것이다. 유랑극단 배우의 자녀로 태어나 일찍이 부모를 여의고 자라난 불우한 환경과 어린 나이에 결혼한 아내가 결핵으로 일찍 세상을 떠나고 알콜 중독으로 노상에서 생을 마감하는 우울한 생을 살았던 그였지만 항상 꿈을 꾸면서 살았던 것은 아닌가 하는 생각이 든다. 한편으로는 천재 작가로 오히려 유럽에서 더욱 높은 평가를 받았던 그는 남다른 감성을 가진 창조성 풍부한 사람을 '낮에 꿈꾸는 사람'이라고 표현하여 자신을 가치 있고 귀중한 존재라고 표현하고 싶었던 것일 수도 있겠다. 어쨌든 밤에 침대에서 허황된 상상으로 날려버리는 꿈을 꾸는 사람은 낮에 몸과 마음을 다해 꿈을 꾸는 사람이 이루는 것을 따라잡을 수 없다. 프로이트는 꿈이 무의식의 발로라고 했다. 밤에 꾸는 꿈이 무의식이 표출된 것이라면 낮에 꾸는 꿈은 성격이 다르다. 낮에 꾸는 꿈은 의식의 발현이다. 두 눈을 뜬 채 꿈꾸는 일은 아무나 할 수 있는 게 아니다. 그것은 역동적인 삶을 살면서 기꺼이 불가능에 도전하려는 사람만이 행할 수 있는 것이다. 밤에만 꿈을 꾸는 사람은 낮에 꿈꾸는 일을 위험하게 생각하고 무모하다고 말린다. 어리석다고 비웃기도 한다. 그러나 그들은 모른다. 인류의 역사는 낮에 꿈꾸는 자들에 의해서 발전되어 왔다는 사실을....

58. 삶의 10%는 당신에게 일어나는 일이고 삶의 90%는 당신이 어떻게 반응하느냐에 달려있다

- 스티븐 코비 -

스티븐 코비는 90/10 법칙이라고 부르는 원칙을 이렇게 설명한다. 삶의 10%는 당신에게 일어나는 사건들로 결정되며, 나머지 삶의 90%는 당신이 어떻게 반응하느냐에 따라 결정이 된다는 것이다.

우리는 우리 인생에서 일어나는 10%를 전혀 통제하지 못한다. 예를 들어 자동차가 고장 나는 것을 막을 수 없으며, 비행기가 연착하여 모든 일정을 엉망진창으로 만드는 것도 막을 수 없다. 어떤 운전자가 느닷없이 내 차 앞에 끼어드는 것도 어쩌지 못하고. 이러한 일들이 바로 우리가 통제할 수 없는 10%에 해당되는 일이다. 그러나 나머지 90%는 다르다. 그리고 그 남은 90%를 결정하는 것은 바로 당신이다. 어떻게? 바로 '당신의 반응'으로!

당신은 빨간 신호등을 조작할 수 없다. 하지만, 당신의 반응을 조정할 수는 있다. 당신은 당신의 반응을 통제할 수 있는 것이다.

예를 하나 들어보겠다.

당신은 가족과 아침식사를 하고 있다. 당신의 딸이 실수로 당신의 와이셔츠에 국그릇을 엎질렀다. 당신은 방금 일어난 일을 바꿀 수 없다. 그러나 당신이 어떻게 반응하느냐에 따라 다음에 일어날 일이 달라진다.

당신은 화를 내고 욕을 하며 딸을 혼냅니다. 딸이 눈물을 흘립니다. 딸을 혼낸 뒤 당신은 아내에게 국그릇을 모서리에 놓았다고 비난합니다. 작은 말싸움이 따르겠지요. 씩씩거리면서 방으로 들어가 옷을 갈아 입는다. 다시 나와 보니, 딸은 우느라고 아침도 못 먹고 학교 갈 준비도 못해서 통학버스를 놓친다. 아내는 지금 당장 출근해야 한다. 당신은 서둘러 딸을 학교에 태워다 준다. 당신은 늦었기 때문에 시속 50km 구간을 80km로 달린다. 경찰관에게 딱지를 떼인다. 15분이나 시간을 지체하고, 속도위반 벌금을 물기까지 하며 학교에 도착한다. 딸은 당신에게 인사도 안 하고 학교로 뛰어 들어간다. 회사에 20분이나 지각해서 도착하고 나서야 집에 서류 가방을 놓고 온 것을 깨닫게 된다.

당신의 하루는 엉망진창으로 시작했다. 그리고 하루가 진행될수록 상황은 더욱 악화될 것 같다. 집에 가면 당신과 아내, 그리고 딸 사이가 불편할 것이다. 또 다른 전쟁이 기다릴지도 모른다.

왜 나쁜 하루를 보냈을까요? 당신이 오늘 아침에 보여준 반응 때문입니다. 당신은 왜 나쁜 하루를 보냈을까요?

A) 국그릇이 원인입니까?

B) 당신 딸이 원인입니까?

C) 경찰관이 원인입니까?

D) 당신이 원인입니까?

정답은 D다. 당신은 아침에 딸이 쏟은 국그릇에 대해서는 아무런 통제를 하지 못한다. 그러나 당신이 보인 5초간의 반응이 당신의 나쁜 하루를 만들었다. 당신이 보였어야 하는 반응은 다음과 같다.

국물이 당신 셔츠에 쏟아진다. 딸은 울음을 터뜨린다. 당신은 다정하게 "괜찮아, 다음부터 더 조심하면 돼!" 라고 말한다. 그리고는 방으로 들어가 셔츠를 갈아입는다. 서류 가방을 들고 나오니 딸은 벌써 통학버스에 오르고 있는 것을 본다. 딸이 뒤돌아보더니 손을 흔든다. 같이 손을 흔들어 준다. 당신은 5분 일찍 회사에 도착하여 동료들과 반가운 아침 인사를 나눈다.

두 가지 다른 시나리오의 차이를 느끼십니까?

둘의 시작은 같았습니다. 둘의 끝은 너무도 다릅니다.

당신이 어떻게 반응하느냐에 따라 달라지기 때문입니다.

당신은 인생의 10%인 일어나는 사건들을 통제할 수 없습니다. 나머지 90%는 당신이 어떻게 반응하느냐에 따라 달라진다는 것을 명심합시다.

59. 나는 86년을 살았습니다. 나는 수많은 사람들이 밑바닥에서부터 성공(계단)으로 올라가는 것을 보았습니다

- 제임스 기번스 -

제임스 기번스 추기경은 로마 가톨릭교회의 미국 추기경이었다. 1917년 시어도어 루즈벨트 대통령은 기번스를 미국에서 가장 존경 받고 존경받는 유용한 시민으로 칭송했다. 말년에 그는 미국에서 로마 가톨릭의 대중적인 얼굴로 여겨졌고 그의 죽음에 대해 널리 애도했다. 기번스가 죽은 후, 기독교 목사들에 대한 그의 가장 가혹한 비판을 유보했던 헨리 루이스 멘켄은 다음과 같이 썼다.

많은 대통령들이 기번스 추기경의 조언을 구했습니다.
그는 최고의 현명한 사람이었고 최고의 의미에서 정치인이었으며
그가 교회를 늪지대 나 막다른 길로 이끌었다는 기록은 없습니다. 그는 로마를
자주 상대했지만, 그는 항상 옳았기 때문에 결국에는 이겼습니다. [61)]

이 명언의 전문은 다음과 같다 (86세가 밝히는 성공비결)

나는 86년을 살았습니다. 나는 수많은 사람들이 밑바닥에서부터
성공(계단)으로 올라가는 것을 보았습니다.
그리고 성공을 위해 중요한 모든 요소 중에서
가장 중요한 것은 자신있다는 **신념**입니다.
과감하게 부딪치지 않는 한 결코 명성도 성공도 얻을 수 없습니다.

신념(belief)의 사전적 정의는 ‘ 어느 개인이 어떤 명제나 전제에 대해 진실이라고 믿는 것이나 믿는 내용’인데 또 다른 표현으로는 ‘올바르다고 믿는 자신의 생각’이다. 즉 신념이란 자신이 이것이 옳다고 믿는 것이라 할 수 있다. 나폴레온 힐은 성공철학에서 신념을 '신념이란 자기암시에 의해 잠재의식 속에 선언되거나 반복 교화된 것이 만들어 내는 일종의 정신 상태'라고 말하고 있다. 그러나 불행히도 우리 모두가 항상 불안과 갈등을 안고 있으면서 매일을 보내고 있다. 매일이 양자택일 또는 많은 옵션 중에서 최선이라고 생각되는 것을 선택하는 작업을 반복

61) 헨리 루이스 멘켄

하는 것이다. 하나를 결정하는 작업은 그 결과가 어떻든 자신의 판단으로 한 결정에 책임이 생기는 것은 당연한 일이다.
자신을 믿는 것만큼 어려운 것은 없다고 하지만 실패를 거듭하거나 넘어져도 여전히 앞으로 나아가 목표를 달성시키는 그 근저에 있는 것이 '자신있다'는 자신에 대한 신념이며, 이것은 노력과 행동의 축적에 의해 단련해 나갈 수 있는 것이기 때문이다.
신념이 있으면 곤란에 부딪치더라고 굴하지 않고, 돌연한 사태가 발생하더라도 결코 낙담하거나 비관하는 일이 없다. 길이 험하고 캄캄하게 앞이 보이지 않더라도, 신념을 가진 사람은 그 앞에 밝은 징조가 기다리는 있다는 것을 기대한다. 자유와 빛의 목적지가 저편에 있는 것이 보이기 때문이다.
신념이 있는 사람은 '좋은 것, 나쁜 것'이라는 판단을 넘는 가치(價値), 즉 변함없는 영원성과 보편적인 공정성을 믿기 때문에 인생의 성공으로 이끌 수 있으며, 강건하고 온화하며 성실한 사람으로 살아가고자 하는 신념을 가진 사람은 진지한 삶의 가치에 대해 결코 의문을 품지 않는다.
신념이 있는 사람은 질서정연한 세상과 마주하여 어떤 속박도 받지 않고 자유로운 감각을 유지하고, 의미 없는 장해란 이 세상에는 없다는 것을 알고 있어서 자신에게 문제가 없는 한 인생의 트러블은 일어나지 않는다.
그런데 이처럼 안전한 인생을 완전하게 사는 것은 간단치 않다. 왜냐하면 원래 마음은 불완전한 상태에 머물러 있고자 하는 경향이 있기 때문이다.

실현 가능한 것임에도 자신을 가련하게 생각하는 감정에 빠져 스스로 헤쳐나가는 것을 잊어버린 것처럼 힘들어하는 자신을 정당화하려고만 한다.

그래서 우리는 어쨌든 자신을 믿어야 한다. 자신을 믿으면 지식이나 깨달음이 열매를 맺을 때까지 자신을 행동하게 하여 실현할 수 있도록 밀어주기 때문이다

자신에 대한 신념은 지식같이 머리로 이해하는 것이 아니라 실제로 행동하고 경험하면서 얻는 것이다.

자신에 대한 신념은 스스로가 땀과 눈물, 비탄과 고통을 통해 체득한 경험이다. 이성의 레벨에서는 신념을 가지기 어렵다. 그러한 인생의 경험이 바탕이 되어 자기 자신을 향상시키는 재료가 되는 것이다. 그렇게 되면 마음속에 있던 고통이나 아픔도 멀리 사라진다. 인생의 모든 일들은 지혜로워지고 싶어 하는 자신을 위해 인생에서 활용해 나갈 수 있다. 자신에 대한 신념은 자신이 체득한 성공 체험에서 가장 많이 얻을 수 있다는 반듀라의 말을 상기하라.

참고로 에머슨은 자기를 신뢰하는 사람은 법률이나 제도가 아닌 자기자신의 양심, 도덕에 의해 행동하는 법을 알며, 스스로를 사랑하는 사람이라면 자신의 길을 걸어가면서 주위에 영합하지 않는 자세를 견지하는 사람이 되어야 한다고 자기신뢰론에서 밝히고 있다.

60. 이상을 쫓아 현실에 눈을 돌리지 않는 사람은 오래 가지 않고 머지않아 망할 것이다

- 니콜로 마키아벨리 -

르네상스 시대의 철학자 니콜로 마키아벨리의 저서 ' 군주론 ' 제15장에 나오는 구절이다. 인간이 현실적으로 살아가는 방식과 이상적으로 살아가야 할 방식 사이에는 현저한 차이가 있기 때문에, 이상을 쫓아 눈앞의 현실을 외면하는 사람은 자기 앞가림은 커녕 파멸을 향해 달려가고 있다는 것이다. '인간이 어떻게 사는가'는 '인간이 어떻게 살아야 하는가'와는 너무도 다르기 때문에 일반적으로 행해지는 바를 따르지 않고 마땅히 해야 하는 바를 고집하는 군주는 권력을 유지하기는 커녕 잃기 십상이다. 매사에 늘 선하게 살려고 하는 사람은 선량하지 않은 사람들에게 둘러싸여 반드시 몰락하는 것이 현실이다. 그러므로 권력을 계속 유지하고자 하는 군주는 상황에 따라 악행을 행할 수 있는 준비가 필요하다. 즉, 무슨 일에서나 그리고 어디에서나 스스로를 선하게 보이려고 하다 보면 반드시 악인의 무리들에 파멸당할 것이기 때문에, 스스로를 지키려는 군주는 선하기만 해서도 안되며, 필요에 따라서는 악인이 되는 것을 두려워해서는 안된다고 쓰고 있다. 사자와 여우의 예를 들어보자. 즉, 사자 같은 힘만으로는 여우처럼 교활한 사람이 준비해 놓은 함정을 벗어날 수 없으며, 반대로 여우 같은 교활만으로는 사자의 힘에 당하고 만다. 그래서 사자와 여우 두 재능을 모두 갖추는 것이 좋다고 한다. 마키아벨리는 '군주론'에서 권력을 행사하고 유지하기 위한 끊임없는 실제적인 접근을 진행하고 있다. 얼핏 보기에는 도덕에 어긋나는 행위도 국가의 대의를 위해 어쩔 수 없다는 입장이다. 지금 인용한 문장은 책의 중반에 등장하여 더욱 유명한 마키아벨리 교훈의 기초를 이루고 있다. 그의 가장 유명한 말은 "사랑받기보다 두려워하게 하라"이다. 왜 두려워하게 할 필요가 있을까? 완전히 이상적인 세계라면 모두가 서로 선의를 다해 살아갈 것이지만 현실은 다르다. 사람들은 부정적인 결과를 두려워하지 않는 한 다른 사람을 곤경에 빠뜨리려고 한다. 그런 의미에서 두려움은 살인부터 매너 위반에 이르는 다양한 반사회적 행동의 억지력이 된다. 비록 당신이 순수하게 사심을 관철한다 해도 어디선가 사욕이 있는 사람에게 속게 되면 끝이다. 그렇게 되면, 당신에게 의존하는 사람들까지 상처받기 마련이다. 자신이 훌륭한 삶을 사는 동시에 지키고 싶은 사람이 있다면 자력으로 어떻게든 하지 않으면 안된다. 그러기 위해서는 냉혹해져야 할 때도 있다고 마키아벨리는 말하고 싶었던 것이 아닐까.

61. 세상은 매우 빨리 변하고 있다. 더 이상 큰 것이 작은 것을 이기지 못할 것이다 작은 것을 이기는 건 빠른 것이 될 것이다

- 루퍼트 머독 -

미래학자들에 따르면, 기술이 너무 빠르게 발전하여 우리가 따라잡을 수 없는 시대가 올 수 있다고 한다. 그 시점에서 미래는 완전히 예측할 수 없게 될 것이 분명하다. 이것을 특이점(Singularity)이라고 부른다. 비즈니스 세계에서 변화는 이미 엄청난 속도로 진행되고 있다. 더 이상 3-5개년 전략 계획으로는 충분하지 않다. 정적인 계획은 몇 달 안에 진부해진다. 실제로 일부 기업은 분기별 또는 매월 전략을 검토하고 있다.

일선 직원은 회사 목표를 달성하는 데 필요한 일을 즉시 실행하기 위해 사용 가능한 모든 전술을 사용할 수 있는 권한과 유연성을 가지고 있어야 한다. 루퍼트 머독은 속도에 대해 잘 알고 있다. 1952년 아버지가 사망한 후, 21세의 루퍼트는 가족 신문인 애들레이드 뉴스(Adelaide News)의 경영권을 물려받았다. 그는 즉시 다른 언론사를 인수하기 시작했고, 1980년대와 1990년대에 가속화되어 세계에서 두 번째로 큰 미디어 대기업인 뉴스 코퍼레이션(News Corporation)을 설립했다. 그는 2013년에 분할된 뉴스 코프(News Corp)와 21세기 폭스(21st Century Fox)의 딸 회사를 여전히 지배하고 있다

루퍼트 머독의 이 명언은 현대 사회의 변화 속도를 반영하고 크기와 규모의 이점이 줄어드는 것을 강조한다. 대신, 빠르고, 적응력이 뛰어나고, 민첩한 것이 빠르게 진화하는 세상에서 성공으로 이어질 것임을 시사한다. 이 개념은 시간에 대한 개념과 그것이 속도와 느림에 대한 우리의 인식에 미치는 영향과 관련이 있다. 머독의 명언을 철학적으로 살펴보면, 속도와 느림은 고정된 실체가 아니라 시간의 흐름에 따라 달라지는 상대적인 경험이라는 것을 깨닫게 된다.[62] 기술적으로 발전한 세상에서 시간은 놀라운 속도로 흐르는 것 같다. 우리는 끊임없이 정보, 통신 및 새로운 개발의 위협을 받고 있다. 기술의 발전과 인터넷의 부상으로 우리가 정보에 접근하고 전송하는 속도가 기하급수적으로 증가했다. 이러한 시간의 가속화는 아이디어와 혁신의 빠른 보급이 개인이나 조직을 빠르게 성공으로 이끌 수 있는 속도의 환상을 만든다. 이러한 맥락에서 빠르다는 것은 최신 상태를 유지하고, 변화에 신속하게 적

62) The Socratic Method

응하고, 새로운 기회를 활용하는 것을 의미한다. 반면에 느림은 단점으로 볼 수 있다. 세상이 이처럼 빠른 속도로 움직일 때 반응이나 적응이 느리면 발전과 성장이 저해될 수 있다. 변화하는 환경에 발맞추기 위해서는 민첩성과 유연을 인식하는 것이 중요하다. 지속적으로 뒤처지는 사람들은 완전히 뒤처질 위험이 있다. 그러나 미덕으로서의 느림의 개념은 어떤가? 슬로우 푸드나 슬로우 트래블과 같은 느린 움직임은 삶에 대한 보다 신중한 접근 방식을 옹호하며, 현재 순간에 감사하고 주변 환경과 다시 연결되도록 장려한다. 이러한 움직임은 양보다 질을, 깊이를, 보다 지속 가능한 삶의 방식을 우선시한다. 흥미롭게도 속도와 느림은 모두 장점이 있으며 우리 삶의 다양한 측면에서 중요한 역할을 한다. 비즈니스와 혁신의 영역에서는 속도가 유리할 수 있지만, 느림은 심오한 개인적 경험, 창의적인 통찰력, 더 깊은 연결의 원천이 될 수 있다. 이러한 맥락에서 루퍼트 머독의 명언은 성공이 더 이상 기업의 규모나 힘에만 의존하지 않는다는 것을 상기시켜 준다. 대신, 변화에 신속하게 대응하는 것의 중요성을 강조하며, 이를 위해서는 끊임없는 적응과 혁신이 필요하다는 것이다. 그러나 한편으로는 앞서 말한 대로 속도를 끊임없이 추구하는 것에 대한 대척점으로 느림의 가치를 인정하면서 균형을 찾는 것이 중요하다. 궁극적으로 세상은 실제로 빠르게 변화하고 있다. 큰 것이 작은 것을 정복한다는 전통적인 개념은 이미 구식이 되고 있다. 대신, 끊임없이 진화하는 미지의 바다를 항해하는 능력이 성공을 결정할 것이다. 신중하고 총체적인 접근 방식을 유지하면서 속도의 개념을 수용함으로써 개인과 조직은 이 시대의 끊임없는 흐름과 불확실성 속에서도 번창할 수 있는 것이다.

62. 오늘이 내 인생의 마지막 날이라면 지금 하려는 일을 할 것인가

- 스티브 잡스 -

동기생의 부음을 접했다. 죽음 준비교육의 제창자 알폰스 데켄은 긴 인생 여정 중에서 가장 힘든 시련은 주변의 지인의 죽음과 자신의 죽음을 직면하는 것이라고 한다. 하루종일 일이 손에 잡히지 않았다. "만일 내일 죽게 된다면 지금 무엇을 할 것인가?"하는 생각이 들었다. 글쎄 나라면 무엇을 할까? 아마 소중한 가족들과 시간을 같이 하지 않을까? 아니면 평소와 같이 책을 보고 글을 쓸 것인가?

이처럼 死生觀에 관해서 평소 늘 생각해 두는 것이 좋다고 생각한다. 언제 죽어도 좋도록 매일 성의를 다해 살아가는 것이 좋기 때문이다. '一日一生'처럼 아침에 태어나 밤에 죽는 마음가짐으로 하루를 산다면 후회 없는 인생을 살 수 있을 것 같은 생각이 들었다. 죽음을 생각하면서 사는 것이 좋은 이유를 한 브런치에서 접했다.

첫째 진정으로 자신이 원하는 삶을 살라

둘째 현재에 충실한 삶의 가치를 생각해 보라

셋째 삶은 늘 재창조된다는 것이다

나름대로 수긍이 가는 의견이다

살아간다는 것은 이 세상에서 가장 드문 일이다

대개의 경우 사람들은 존재하고 있을 뿐이다[63)]

스티브 잡스의 " 오늘이 내 인생의 마지막 날이라면 지금 하려는 일을 할 것인가."는 그가 2005년에 스탠포드 대학에서 졸업 축하 스피치에서 인용한 말이다. 그 스피치로 인해 자극받은 기업가가 많았다는 후문이다. 그는 축사에서 자기 경험을 통해 3가지를 이야기했다. 점과 점을 이으라, 사랑과 실패에 대해서, 그리고 죽음에 대해 이야기를 했는데 그 중 죽음 부분에서 인용한다.

세번째 이야기는 죽음에 관한 것입니다. 제가 열일곱 살이었을 때, 이런 구절을 읽은 적이 있습니다. "만일 당신이 매일을 삶의 마지막 날처럼 산다면 언젠가 당신은 대부분 옳은 삶을 살았을 것이다." 저는 그것에 강한 인상을 받았고, 이후 33년 동안 매일 아침 거울을 보면서 제 자신에게 말했습니다. **"만일 오늘이 내 인생의 마지막 날이라면, 내가 오늘 하려는 것을 하게 될까?"** 그리고 여러 날 동안 그 답이 '아니오'라고 나온다면, 저는 어떤 것을 바꿔야 한다고 깨달았습니다.

---

63) 오스카 와일드

63. 나처럼 늙고 교육을 받지 않은 고아원에서 자란 배우지 못한 여자도 여전히 하루에 하나 정도 꽃의 이름을 새롭게 기억할 수 있어요

- 코코 샤넬 -

코코 샤넬의 본명은 가브리엘 보뇌르 샤넬(Gabrielle Bonheur Chanel). 메종 샤넬의 설립자이다. '코코'라는 이름은 가난하던 시절 변두리 술집에서 노래 부르고 하던 시절에 자주 부르던 <Ko Ko Ri Ko>와 <Qui qu'a vu Coco dans le Trocadero>라는 노래의 가사에서 따온 예명이다[64] 샤넬은 자신의 라이프스타일을 아이디어의 원천으로 삼아 현대

64) 그녀는 1883년에 프랑스 남서부 오베르 뉴의 소 뮈르 구제 병원에서 태어났지만 11세 어머니를 병으로 잃고 결국 행상을 하고 있던 아버지에 버려져 고아원과 수도원에서 자랐다.

여성의 모습, 행동, 옷 입는 방식 등을 제시했다. 소년같이 슬림한 몸매와 짧은 헤어스타일은 선망의 대상이 되었고, 그의 그을린 피부와 활동적 라이프스타일, 경제적 자립 또한 이상적인 것으로 여겼다. 샤넬은 자기 삶의 태도와 스타일을 마케팅하며 성공적으로 커리어를 이끌었고, 20세기 여성들의 취향을 형성했다. 本物の教養의 저자 데구치 하루아키(出口治明)씨는 샤넬팬이다. 번역된 샤넬의 전기는 모두 읽고, 영화 등도 모두 보고, 샤넬의 사는 자세에 매료되어 있다는 그는 이 명언을 이렇게 해석하고 있다.

하루에 하나 꽃의 이름을 알면 세계의 미스터리가 하나 사라집니다. 그러면 이 세상이 그만큼 간단하게 알기 쉽게 되어 갑니다. 그래서 그녀는 '인생은 위대하고 사는 것이 즐겁다"고 말했습니다. 그리스 로마 시대부터 르네상스 시대까지 "사람을 자유롭게 하는 학문'으로 간주되었던 과목들이 바로 「교양」(liberal arts)이라고 합니다. 알면 알수록 자유로울 수 있으니까요. 요컨대 교양과 그녀처럼 많은 것을 알고 싶다는 정신자세를 본받아야 할 것입니다. (本物の教養)

그녀는 전 생애에 걸쳐서 배웠다고 한다. 87세로 사망할 때까지 패션계 최일선에서 활약을 지속했다. 젊고 재능 있는 디자이너들이 넘치는 패션계에서 그 지위를 유지할 수 있었던 것은 그녀가 배우는 것을 멈추지 않았기 때문이다. 하루에 하나라도 좋으니 무언가를 배우면 하나를 알게 된다. 몰랐을 때는 복잡하던 세상이 단순하게 보여진다. 배운다는 것은 세상을 단순하게 하는 것이다. 알면 알수록 살아가기 쉽고 그래서 인생이 즐거워지는 법이다.

64. 실패로부터 배우면 실패는 성공으로 남는다

- 말콤 포브스 -

말콤 포브스는 포브스를 아버지로부터 물려받아 미국에서 가장 유명한 경제 잡지를 만든 인물이다. 말콤 포브스는 프린스턴 대학 시절 손쉽게 합격하리라고 생각했던 대학신문 기자 시험에서 떨어졌다. 이 실패의 경험을 바탕으로 겸손함을 배워 포브스를 성공적으로 경영하게 되었다는 일화가 있다.

실패와 성공은 종종 서로 반대되는 것으로 간주한다. 대개 실패는 일상의 흔한 경험으로 간주되어 성공은 어렵지만 실패를 겪기는 쉬운 듯하다. 하지만 실패는 단지 미흡한 성과를 의미하지 않으며, 누구나 이를 경험할 수 있는 것도 아니다. 무언가 실패하기 위해서는 목표를 향해 부딪히고 도전하는 시도가 선행되어야 하기 때문이다. 그래서 실패로 가득한 누군가의 인생 바구니에는 다양한 도전과 노력도 함께 담겨 있을 가능성이 높다. 실패가 그 자체로 귀한 이유다.65)

하지만 실패라는 귀한 씨앗이 자동으로 싹을 틔우고 향기로운 꽃을 피우기는 쉽지 않다. 실제로 많은 연구는 사람들이 실패로부터 잘 배우지 못한다는 사실을 일관되게 보고한다. 우선 실패는 그 자체로 위협적이어서 이에 충분한 주의를 기울이기 어려울 뿐만 아니라, 실패가 제공하는 정보나 교훈도 명확하지 않기 때문이다. 성공은 이전 노력과 경험을 일관되게 활용하면 되지만, 실패는 그 원인을 파악하고 오답에서 정답을 추론해야 하므로 많은 노력이 필요하다. 이러한 어려움에도 불구하고 모두가 실패에서 배우는 데 실패하는 것은 아니다. 어떤 이는 패배감을 극복하지 못하고 좌절하는 반면, 또 다른 이는 실수나 실패를 통해 학습하고 이를 성공으로 연결한다.

예컨대, 반복되는 실패에도 연구를 계속 진행한 덕분에 페니실린이 발견되었다. 포스트 잇은 실패한 발명품에서 만들어진 것이지만 결국 가장 성공한 상품이 되었다. 스티븐 킹(Stephen King)도 그 예다. 오늘날 스티븐 킹은 공포 소설로 비평가들의 명성을 얻고 있다. 그의 첫 번째 책 '캐리'가 받아들여지기 전까지, 그 책은 30번이나 거절당했다. 스티븐은 몇 번이고 자신의 책을 수정하여 결국 출판되었고, 이는 그의 놀

---

65) 어떤 사람이 실패로부터 배우는가? 신지은 전남대 심리학과 교수

라운 경력으로 이어졌다. 빌 게이츠(Bill Gates)도 교통 테이프를 통해 데이터를 분석하는 제품을 고안했다. 단, 작동하지 않았다. 그래서 그는 다른 것을 시도하기로 결정하고 Microsoft를 만들었다. 스티브 잡스(Steve Jobs)는 애플을 설립했지만, 제품 출시에 실패하자 애플은 그를 쫓아냈다. 그는 나중에 다른 회사를 설립했다. 애플은 새로운 회사를 인수하고 스티브 잡스를 다시 데려와 애플의 획기적인 제품인 아이팟, 아이폰, 아이패드를 출시했다.

실패는 성공의 적이 아니라 성공의 중요한 부분이다. 실패는 낙담하고 속상하게 보일 수 있지만, 실패, 실수, 사고는 모두 사람이 성장하는 데 중요한 역할을 한다. 궁극적으로 실패는 경험에서 배울 수 있는 기회다. 한 가지 예가 우리가 걷는 법을 배웠을 때다. 우리는 넘어질 때마다 걷는 법을 배웠다. 우리는 실패가 아닌 경험에서 배웠다. 실패를 경험으로 보는 법을 배우면 성공으로 이어진다. 그렇지 않았더라면 스티브 잡스, 빌 게이츠, 스티븐 킹은 실패 후 포기했고, 지금의 위치에 있지 못했을 것이다. 성공하기 위해 그들은 실패의 경험을 겪었지만 계속 나아갔다.

따라서 성공의 반대말은 실패가 아니라 그만두는 것이다.

나는 글을 쓸 때 마다 실패할까 두렵다.
생각대로 전개되지 않거나 끝마치지 못할까 하는 두려움 [66]

66) 스티븐 킹

65. 모든 사람은 세상을 바꾸고 싫어하지만 자신을 바꾸려는 생각은 하지 않는다

- 레프 톨스토이 -

많은 사람들은 이렇게 말한다.

세상을 바꿔야지,

사회를 바꿔야지,

회사를 바꿔야지,

가족을 바꿔야지.

타인을 바꿔야지

하는데 마음대로 안되서....” 하고 생각하는 사람들이 많다.

우리의 고민은 주변이 자신이 원하는 방향대로 되어 주기를 바라는 마음에서 비롯되는 경우가 많다. 그러나 세상이나 타인, 심지어는 가족까지도 호락호락 자신의 생각대로 바뀌어질 리가 없다. 톨스토이는 그런 우리들에게 자신을 바꾸는 수 밖에 없다고 조언하고 있다. 결국 핵심은 바로 자기 자신이요 자신의 마음에 달려있다.

타인은 바꿀 수 없다
세상은 자신이 비쳐진 모습 그대로입니다.
즉 자기가 보는 세상을 확대해주는 거울입니다.

세상을 바꾸려 든다는 것은 거울에 비쳐진
내 모습을 바꾸려고 거울을 깨려고 하는
행동에 다름없습니다.

그러므로 세상을 바꾸고자 한다면
거울에 비쳐지는 모습을 바꾸듯이
세상은 그대로 두고
세상을 바라보는 시각을 바꾸시기 바랍니다.

세상에 바꾸러 들지 말고
있는 그대로 받아들이려고 하면
오히려 세상의 좋은 점만 보이게 됩니다.
타인에게 자기 멋대로 무언가를 기대하는

행동은 이제 그만둡시다.
타인은 바꿀 수 없다는 현실을 받아들입시다.

원래 사람이 '다른 사람으로 변해 좋겠다. 바꾸고 싶다'라고 생각하는 때에는 그 뒤에 반드시 '자신을 위해 '라는 자아가 존재한다. "일을 이렇게 진행했으면 좋겠다" (자신이 싫기 때문에) "그 버릇을 고쳐 달라"라는 식으로 근본적으로 상대에 대한 변화를 요구하고 있는 것이다. 이처럼 필사적으로 사람을 바꾸려고 하는 행위는 톨스토이가 말하는 '세상을 바꾸고 싶은데 자신은 바꾸지 않는 사람 '그 자체다.
담배를 싫어하는 당신 앞에서 다른 사람이 담배를 피우기 시작한다면..
만일 당신이 담배를 싫어한다고 가정하여 함께 찻집에 들어간 상대가 눈앞에서 담배를 꺼내면 어떻게 할 것인가? 당신이 담배 연기를 불편하게 느낀다면 "나는 담배를 싫어하기 때문에 삼가해주시면 감사하겠습니다" 의지를 전하는 것까지는 해도 OK라고 생각한다. 하지만 "이제 그만하라" 고 주장하는 것은 바로 타인을 바꾸려고 하는 행위이기 때문에, 지금 위치가 만일 흡연 OK인 장소라면 이길 수 없는 것이다
이 경우 취해야 할 선택은 세 가지다.
1. 담배 연기를 참는다 (주체 : 자신)
2. 상대방이 담배를 피우지 않도록 한다 (주체 : 상대)
3. 상대방과 만나지 않는다 (주체 : 자신)
조심하지 않으면 안되는 것은 2번 패턴이다. 자신이 상대에게 강요해 버리는 것이기 때문이다. "내가 담배를 싫어하는 여부도 확인하지 않고 마음대로 담배를 피우기 시작하다니 최악이다!"라고 분노하기 시작하는

것은 이상한 일이 아닐 수 없다. 왜냐하면, 이 주장은 "상대를 바꾸자" 라는 자기만의 ego이며, 嫌煙붐으로 상대를 눌러버리려는 행위에 다름 아니다. 아무리 담배 연기가 싫어도 흡연자가 가지는 권리를 침해할 수 없다. 상대가 담배를 피우는 것이 불편한 경우 "만나지 않는다"라는 제3의 선택을 취하면 된다.

이처럼 누구나 경험하는 것이지만 인생에서 부닥치는 수많은 사건들은 그것을 우리가 바꿀 수는 없는 것이 많다.

누군가의 조언을 들어 사람이 바뀐다면 그 사람이 그 말을 필요로 할 때에만 가능하다. 즉 '괴로운 ... 인생을 바꾸고 싶다'고 고민하고 괴로워하는 사람에게 인생을 바꾸라는 말을 했을 때 마음에 와닿는 것은 바로 그 사람이 그 말을 필요로 하고 있기 때문이다. 그 말을 계기로 그 사람은 일어서서 힘을 얻을 수 있을지도 모른다. 이 경우 언뜻 보면 "자신의 조언으로 사람은 구원받은 것이다"라고 생각하기 쉽지만, 엄밀히 말하면 '인생을 바꾸는 말'은 어디까지나 계기이며, 그를 구한 것은 어디까지나 고민하는 본인 자신의 의사에 따라 결정된 것이라 할 수 있다.

66. 아이디어는 가치가 없다

- 래리 페이지 -

페트병과 같은 플라스틱 쓰레기는 바다에 대량으로 버려지고 있다. 플라스틱은 자연적으로 분해될 수 없어 환경을 손상시키기 때문에 매우 골칫거리다. 이 쓰레기 문제에 대해 뭔가를 하기 위해 일어선 사람은 네덜란드 고등학생 보얀 슬랫(Bojjan Slat)이었다.

그가 고안한 시스템은 플라스틱 쓰레기를 수거하기 위해 바다에 거대한 '찌'를 설치하는 것이었다. 유지 보수 비용은 수거된 쓰레기를 재활용하여 충당할 수 있다. 비용에 대해 걱정할 필요가 없다. 또한 찌에는 엔진이 장착되어 있지 않기 때문에 생태계를 손상시키지 않는다. 매우 단순한 구조이지만 연간 725만 톤의 쓰레기를 수거할 수 있다고 한다. 이 프로젝트는 현재 많은 기업이 참여하고 있지만, 보얀이 이 문제를 해결하도록 영감을 준 것은 아주 사소한 사건이었다. 어느 날, 그는 그리스를 여행하고 있었다. 그리스는 파랗고 맑은 바다로 상징되는데, 그가 본

것은 물고기보다 플라스틱 쓰레기가 더 많았다. 원래는 자연이나 과학에 관심이 없었지만, 그 상황에 충격을 받고 의문을 품었다. 이 쓰레기를 어떻게 수거할 수 있을까? 하고 생각한 그는 즉시 실험을 시작한 것이 계기가 된 것이다.

이웃 일본에서도 즉각적인 조치를 취한 이단아가 있다. NejiLaw라는 회사의 사장 미치와키 히로시가 바로 그 사람이다. 현재 37세인 미치와키 씨는 미국 항공우주 규격의 시험에 합격한「풀리지 않는 나사」를 개발한 사람이다. 이 말을 들으면 미치와키 씨가 영재교육을 받은 순종이라고 상상할 수 있지만, 실은 정반대이다.

그는 어렸을 때부터 공부를 싫어했다. 10살 때 학교의 무의미함을 느껴 자진 자퇴했다. 그때부터 중학교나 고등학교에 거의 진학하지 않았고, 지금도 계속되고 있다. 그러나 그는 연구를 좋아했다. 그는 무언가를 만드는 것을 좋아했고, 학교에 가지 않고 매일 연구에 몰두했다. 그는 그 시절을 회상하며 이렇게 말한다.

"일본의 교육 제도에 의구심이 있었기 때문에 두 발로 걷기로 결심했습니다."

영감이 떠오른 순간 그는 학교 때문에 연구를 시작할 수 없다는 것이 부질없는 일이라고 느꼈다. '아이디어' 는 전혀 가치가 없었다.

그들은 생각나는 대로 행동하고 그것을 성공으로 이끈다.

구글의 창업자인 래리 페이지는 모교인 미시간 대학교 졸업식에서 연설을 했다. 래리는 그들 한 사람 한 사람의 눈을 바라보며 말했다.

"뭔가 대단한 것이 떠오르면 즉시 실행에 옮기세요. 실행하는 것이 중요합니다."
"크고 어리석은 꿈을 꾸는 것이 성공의 열쇠이며, 꿈은 비현실적일수록 좋습니다.“
Larry 자신도 한밤중에 갑자기 나중에 "Google"이 될 거대한 검색 엔진을 갖는 것이 좋을 것이라는 아이디어가 떠올랐다. 그는 즉시 교수에게 아이디어를 공유했고, 거기서부터 엄청난 시간을 들여 작업했다. 그렇게 '구글'이 완성됐다. 성공을 향한 여정을 시작하는 학생들에게 Larry가 한 말은 졸업생들의 마음을 감동시켰을 것이다.
많은 사람들이 자신의 생각을 가지고 있을 수 있지만 그것으로는 첫 걸음을 내딛을 수 없다. 어쩌면 세상을 바꿀 아이디어일지도 모르지만, 움직이지 않으면 아무 의미가 없다. 생각만 하고 아무것도 하지 않는 것과 같다. 무언가를 성취하는 모든 사람은 그것을 목표로 할 때 미리 생각하지 않고 그렇게 한다. 성공하든 실패하든 먼저 '아이디어'를 구현하는 것이 중요하다.
고등교육을 받은 발명가는 많지 않다. 영감을 빠르게 행동으로 옮길 수 있는 사람들은 더욱 그렇다. '평범한' 사람이 '천재'가 되느냐 마느냐는 그 사람이 이 '아이디어'를 구현할 수 있느냐 없느냐에 달려 있다는 것을 명심하라.

67. 세상에서 가장 강한 사람은 고독 속에 홀로 서 있는 사람입니다

- 헨리크 입센 -

노르웨이의 극작가로 근대극의 아버지라 불리우며 오랫동안 노르웨이의 최고 액면 1000 크로네 지폐의 얼굴[67]이었던 헨리크 입센의 사회 연극 <민중의 적>에서 등장인물 중 한 명인 의사가 가족에게 한 말이다. 가장 강한 사람은 인류 사회의 큰 고통이라고 할 수 있는 환경에서도 외로움을 견디고 자신을 잃지 않고 꿋꿋이 버티는 강한 의지를 가진 사람이다.

고독은 어느 누구에게나 고통스럽기 마련이다. 사람들은 항상 파벌을 형성하고, 친구들과 수다를 떨거나, 가족과 함께 모이고, 어떤 종류의

67) 지금은 '절규'의 작가로 유명한 뭉크가 그려져 있다

커뮤니티에 속하려고 노력한다. 원래 사람은 사회적 동물이기 때문이다. 그러나 이 세상에서 가장 강한 사람은 단순히 주변에 사람이 없는 물리적인 고독뿐 아니라 정신적인 고독 속에서도 자신을 잃지 않고, 자신을 유지하면서 버틸 수 있는 사람이 가장 강한 사람이라 할 수 있다.

헨리크 입센의 사회극 '민중의 적'에서 주인공 마을 의사 스토크만은 왜 이런 대사를 했을까? 이 희극의 제목인 '민중의 적'은 사실 이 스토크만이다. 이 희극의 배경은 노르웨이의 시골 마을이다. 마을에서 온천(미네랄 온천)의 원천이 발견되었다. 마을 사람들은 이것을 관광 자원과 재정 기반으로 삼아 관광 개발로 돈을 벌고 싶어 한다.

그러나 마을에서 의사로 일하는 스토크만은 온천이 병원균에 오염되어 있다는 것을 알게 된다. 스토크만은 이 사실을 발표하고 온천 개발을 막기 위해 고군분투한다. 마을 당국을 포함한 마을 사람들은 오염 사실을 은폐하고 스토크만 박사의 의견을 말살하려고 노력한다. 날이 갈수록 스토크만은 마을에서 점점 더 고립된다. 그러나 갈등의 와중에 스토크만은 가족과 대면하여 이 명언을 말한다.

세상에서 가장 강한 사람은 고독 속에 홀로 서 있는 사람입니다

이 이야기의 배경을 포함하여 이 명언의 의미를 생각해 보면, 이것이 내가 가야 할 올바른 길이라고 당신이 믿는다면, 당신이 아무리 고립되어 있어도, 당신 주변 사람들이 아무리 동의하지 않더라도, 당신은 자신이 옳다고 믿는 길을 따르는 것이다. 그러한 고독 속에서조차도 당당하게 자신의 의견을 주장할 수 있는 사람이 세계에서 가장 강한 사람이라고 할 수 있을 것이다.

일이나 우정에서 흔히 볼 수 있는 "정말 동의하지는 않지만, 말하면 고립되어 버리기 때문에 말하지 않기로 합시다."와 같은 상황이다. 이 또한 다른 사람들과 사회 속에서 살아가는 데 있어 중요한 처세술 중 하나이다. 그러나 세상이 당신에게 등을 돌리고, 세상이 당신만 적으로 보는 고독과 고립속에 처하더라도 스스로의 신념을 지킬 수 있는 사람은 세상에서 가장 강한 사람임이 틀림없다.

68. 돈을 잘 버는 사람은 무일푼이 되어도 자신이라는 재산이 남아 있다

- 알랭(본명: 에밀 아우구스트 샤르티에)-

알랭은 프랑스의 철학자로 대학의 권위에 마음 뺏기지 않고 철학 교사로서 고교교육에 생애 모든 정열을 바쳤고 자긍심을 가졌다. 행복론 중에서 가장 널리 읽히는 세계 3대 행복론이 힐티, 러셀 그리고 알랭의 행복론이다. 알랭의 행복론은 어려운 경쟁환경 속에서 나날이 피폐해가는 우리들에게 아주 유용한 인생의 지혜를 주는 책이다. 행복론에서 알랭은 " 다른 사람들에게서 전해 받는 행복은 존재하지 않으며 행복은 배우는 과정에서 얻게 된다."고 말하고 있다

사람은 일생에 걸쳐서 끝없이 배운다. 지식이 늘면 늘수록 더욱 더 많은 것을 배울 수 있다. 라틴어를 배우는 것이 그 예다. 게다가 그 기쁨은 줄기는커녕

지식이 늘면 늘수록 커지는 법이다." (알랭)

재산도 마찬가지다. 우리는 돈만이 재산이라고 생각하느라 자기 자신이 재산이라는 것은 잊어버리고 있다. 한 치 앞이 보이지 않는 지금과 같은 불확실한 시대에서는 자신을 지켜줄 수 있는 것은 오로지 자신뿐이다. 우리는 언제든 자신이라는 재산을 원동력으로 새롭게 도전할 수 있다. 노후 준비를 위해 주식에 투자하고 저축하듯이 자신이라는 재산에 대해서도 투자를 아끼지 않아야 한다. 열심히 업무를 하면서 경험을 쌓고, 공부하면서 지식을 쌓고 틈틈히 자격증과 학위를 취득하고 인맥을 넓히고 건강한 몸을 유지하는 것을 통해 자신의 자산가치를 높여야 한다. 자신에 대한 투자는 리스크가 낮은 반면, 거기에서 얻는 가치는 엄청나다. 노후 자금을 준비한다고 전전긍긍하는 대신 자신에 대해 투자하고, 자신이라는 재산을 전략적으로 관리하여, 자신의 잠재 가치를 높이는 것이 돈을 버는 첩경임을 명심해야 한다. 돈에 의존하여 살면서 만일 돈이 없어지면 자신은 불행의 나락으로 떨어질지도 모른다는 두려움에 시달리는 삶보다는 자신이라는 재산을 믿고 의지하여 당당하게 세상 풍파를 헤쳐나가는 기개가 필요하다.
어디 그 뿐인가? 돈은 쓰면 쓸수록 줄어들지만 자신이라는 재산은 잠재가치를 높이기 위해 일하고, 배우고, 단련하고, 만나는 과정에서 줄기는커녕 더 한층 늘어나지 않는가.

당신은 자신이라는 재산을 어떻게 관리하고 계십니까?
돈을 관리하는 것 이상으로 중시하고 계십니까?

69. 내가 알고 있는 성공자는 모두 자신에게 주어진 조건하에서 최선을 다한 사람들이지 내년이 되면 어떻게든 되겠지 하고 팔짱을 끼고 있던 사람은 한 사람도 없었다

- 에드워드 호 -

에드워드 · 호는 캔저스 주지사를 두 번 역임한 정치가로 우리들에게 '주어진 환경에 굴복하지 않고 지금의 조건에서 최선을 다하는 것이 성공의 첩경'임을 강조하고 있다. 두 번이나 주지사를 역임하고 나서도 쉬지 않고 시의원으로 활동하면서 동시에 76세로 작고할 때까지 자신이 인수한 지역지 Marion Record의 발행인으로 활동을 지속한 평생 현역

의 인생을 살아왔던 그에게 걸맞는 말이다

원래 우리들은

‘ 이렇게 되었으면 좋았을텐데’

‘ 부잣집에서 태어났더라면 할 수 있었을텐데’

‘ 이런 조건만 되었더라면 나도 성공할 수 있었을텐데 ’

하고 이유를 대거나 변명하기를 좋아한다.

곤란한 일이 닥치면 할 수 있는 방법을 찾기보다는 안되는 이유를 찾거나 변명하기에 급급한 게 우리들의 모습이다. 그러나 그렇게 변명한다고 한들 자신의 상황은 아무것도 바뀌지 않는다. '실패의 99%는 변명하는 습관이 있는 사람으로부터 생긴다'고 죠지 워싱톤 카버 (George Washington Carver) 말한 그대로다.

에드워드가 강조한 대로 자신이 놓여져 있는 조건 아래서 최선을 다하는 수 밖에 없다. 거기에서부터 자신의 성공의 싹을 피울 수 밖에 없다. 그러니 필사적으로 자신이 처해진 상황에 부딪쳐 살아가는 것이 상책이다

' 최선을 다하다' 에 대해서 말의 의미를 알아보기도 하자. 지금 흥미가 있어 열심히 일하고 있는 부서에서 전혀 흥미가 없는 부서로 발령받게 되어 전직을 고려하는 직장인을 가정해 보자.

- 일단 배치된 이상에는 자신이 최선을 다하는 방법이 무엇인가를 생각하여 실천에 옮기는 것이다.

- 또 부서 배치가 마음에 안든다고 화를 내고 주변에 불평불만을 늘어놓는 것보다는 상사를 설득하기 위해서는 어떻게 하는 것이 좋을까 생각해서 상사 설득에 최선을 다하는 것이다.

- 그 외에도 발령받은 부서에서 원래 부서로 다시 돌아오려면 어떤 방법이 있을까 자기 나름대로 할 수 있는 방법을 동원해 최선을 다하고 나서 그래도 안 될 때에 전직을 결심하면 되는 것이다.

- 또 회사를 그만두기로 결심하면 그만둘 때 어떻게 하는 것이 가장 바람직한가...하고 생각하여 그것을 위해 최선을 다하는 것이다. 예를 들어 자격이 필요하다고 하면 그만두기 전에 자격을 취득하기 위해 최선을 다하는 것이다.

이렇듯이 최선을 다하는 것은 앞으로 나아가는 행동을 말한다. 항상 최선을 다하게 되면 저절로 다음 단계가 눈에 들어오게 되는 법이다. 또 최선을 다하면 그 결과는 그다지 관계가 없다. 최선이라 함은 그 이상의 더 나은 수단이 없다는 의미이므로 어떤 상황이든 자신이 최선을 다하는 것 이상을 할 수는 없다. 그러니 최선을 다한 이상에는 그 결과는 그다지 의미가 없다. 구글 딥마인드 챌린지 매치(Google Deepmind Challenge match)는 총 5회에 걸쳐 서울의 포시즌스 호텔에서 진행되는 이세돌과 알파고 (영어: AlphaGo) 간의 바둑 대결이다. 최고의 바둑 인공지능 프로그램과 바둑의 최고 중 최고 인간 실력자의 대결로 주목받았으며, 알파고가 4승 1패로 최종적으로 알파고가 승리하는 결과를 거두었다.

비록 1승을 올리기는 했지만 최선을 다한 이세돌 9단에게 그 결과는 의미가 없다. 승패를 떠나 모든 사람들이 인류의 승리라고 하였던 것은 그가 마지막까지 최선을 다했기 때문이리라.

70. 최고의 복수는 엄청난 성공이다."

- 프랭크 시나트라-

미국 명언 사이트를 보면 프랑크 시나트라가 말한 것으로 되어 있는데 출처는 안 나타나 있다. 단 그보다 수백년 앞선 1640년에 런던에서 간행된 George Herbert의 『Outlandish Proverbs』 모음집에는 '잘 사는 것이 최고의 복수이다(Living well is best revenge) '라고 게재되어 있다. 프랑크 시나트라가 이를 인식해서 말한 것인지 아닌지는 알 수 없지만, 비슷한 명언이 있었던 것만은 분명하다.

우리 모두는 삶의 어느 시점에서 무언가에 실패한다. 세계에서 가장 성공한 사람 중 어느 누구도 삶의 실패에서 벗어나지 못했다. 사실, 세계에서 가장 유명한 성공을 거둔 사람들이 가장 많이 실패했다. 그들과 다른 사람들의 유일한 차이점은 그들이 포기하지 않았다는 것이다. 그것은 또한 많은 쓰라린 실패 후에 성공이 그토록 달콤한 이유이며 성공이 종종 최고의 복수가 될 수 있는 이유이다. 많은 분들이 Rocky 시리즈에서 Rocky Balboa를 연기한 배우 실베스터 스탤론을 알고 있다. 그러나 대부분은 이 배우의 뒷이야기를 모른다. 실베스터 스탤론은 한때 파산했고 심지어 노숙자였다. 그는 New Jersey Port Authority 버스 정류장에서 3주 동안 살았다. 그는 또한 탤런트 스카우터와 영화계로부터 1,500번 이상 거절당했기 때문에 스탤론은 한때 큰 실패를 겪었다고 말할 수 있다. 그는 심지어 너무 궁핍해서 전기 요금을 충당하기 위해 25달러에 그의 가장 친한 친구인 개를 팔아야 했다. 물론 나중에 다시 사서 Rocky 영화에 출연시키기도 했다. 이처럼 유명해진 사람이 한때 얼마나 처지가 어려웠는지 가늠하기 어렵다. 그의 영화가 3개의 오스카상을 수상한 후 1977년 아카데미 시상식에서 그 무대에 서 있었을 때 스탤론에게 성공의 복수가 얼마나 좋은 것인지 상상할 수 있었을까?
당신이 지금 겪고 있는 것이 무엇이든, 당신이 얼마나 많은 실패나 좌절을 경험했든, 당신의 인생에서 얼마나 많은 사람들이 당신이 무언가를 성취할 수 없다고 말하고 있든 상관없이, 이것만은 기억하자.

'성공할 수 있습니다. '

인생에서 필요한 최고의 복수는 누군가가 틀렸다는 것을 증명하려는 것이 아니다. 당신이 무엇을 할 수 있는지 스스로에게 증명하는 것이다. 따라서 성공이 최고의 복수로 간주되는 이유는 수십, 수백 가지가 있을 수 있지만, 특히 지적해야 할 매우 중요하다고 생각하는 7가지 이유를 소개한다.

1 – 실패 후 승리는 훨씬 더 달콤하다.
2 – 두려움을 극복하면 새로운 사람으로 변신한다.
3 – 긍정적인 생각이 부정적 생각을 능가한다는 것을 깨닫게 된다.
4 – 최악의 시간 동안 누가 당신에게 붙어 있는지 목격함으로써 진정한 친구를 발견한다.
5 – 성공은 우리가 할 수 있는 일을 더 잘 알게 한다.
6 – 다른 사람들이 당신의 업적을 옹호하기 시작한다.
7 – 당신은 다른 사람들에게 가능성과 희망의 상징이 된다.

(명언 모음 5)
제프 베조스의 생애와 10가지 명언

제프 베조스는 Amazon 창시자이며 2018년 세계 부호 순위 1위를 차지했다. 자전거 가게 주인인 아버지와 당시 17세의 고교생의 어머니 사이에서 태어난 베조스. 원래 베조스 성이 아니라 재혼한 아버지의 성이다. 재혼한 아버지는 엔지니어이며, 공작 및 과학에 관심을 가진 가정이었다.

어릴 때부터 그의 재능은 발휘되어 자신의 방에 전기 경보를 설치, 동생들이 들어오지 못하도록 했다는 일화가 남아 있다.

마이애미의 팔메토 고등학교를 수석으로 졸업한 베조스는 프린스턴 대학에서 전자공학을 공부하고 우수한 성적으로 졸업하고, 당연히 수많은 대기업에서 오퍼가 왔지만 베조스가 선택한 것은 신생 기업이었던 Fitel이라는 회사로 금융 결제 시스템을 구축하고 있던 이 회사의 무역 정보

네트워크 구축에 종사한다.
그 후에도 몇 번이나 전직하지만, 그 모두가 소위 벤처 기업으로 비교적 작은 회사에 입사한다. 여러 기업을 떠돌아다닌 후 베조스는 헤지펀드 DE 쇼에 입사. 30살의 나이로 수석 부사장에 취임한다.
이 회사에 재직시 "이제는 인터넷의 시대다" 라는 말을 듣고 베조스는 그 진위를 확인한다. 그리고 조사한 결과, 전년에 비해 1,000배의 정보량이 늘었음을 알아낸 베조스는 즉시 퇴사하고 amazon을 시작한다. 설립년도는 1995년. Windows 95가 발매된 해이다.
설립 초기에는 온라인 서점으로 시작한 amazon. 그러나 따로 책을 판매하고 싶었던 것은 아니고 처음부터 지금처럼 무엇이든 취급하는 형태를 취할 예정이었다고 한다. 먼저 책방을 다룬 것은 계속 팔리지 않아도 가치가 떨어지지 않으며 상하지 않기 때문이라는 이유에서이다. 덧붙이면 서점은 공간이 한정되어 '모든 책을 나란히 놓는다'는 것이 불가능하다는 실제 매장 서점의 약점을 보완할 수 있다고 생각한 것 같다.

이후 3년 만에 현재 amazon같은 형태가 되었다. 이처럼 amazon이 고속으로 성장한 것에는 이유가 있다. 지금은 다른 사이트에서도 채용되고 있는 것을 최초로 만들어 낸 것이다. amazon 사가 세계에 앞서서 도입한 것은 다음의 4가지이다.

<사용자 리뷰>

실제로 구입한 사람의 평가나 감상 등 숨기지 않고 공개한다는 것은 당시 꽤 획기적이었다. 좋은 평가도 나쁜 평가도 무관하게 게재하여 오히려 그 신빙성이 증가하는 결과가 되었다.

< 유사 상품 추천>

검색 기록 및 구매 내역 등을 기초로 하여 '제품 추천'처럼 나오는 시스템이다. 검색하지 않으면 상품이 나오지 않고 실제 매장에서와 같이 '이쪽도 좋지만 이것도 사 볼까'와 같은 이차적 구매 의욕이 없었던 인터넷 판매에 새로운 단계를 도입했다.

<전 랭킹 제>

먼저 사용자 리뷰와 조금 중복되지만, 매출 순위 1위부터 꼴찌까지 모두 게재했다.

<원 클릭 주문>

버튼 중 하나를 클릭하기만 하면 상품이 구입 가능하게 시스템을 개발했다. 또한 기술, 그리고 '원 클릭 주문'이라는 명칭까지 포함하여 모든 특허가 있기 때문에 다른 사이트에서는 하나의 동작으로 제품을 구입할 수 없었다.
헌책 판매와 전자책을 재빨리 도입하는 등 몇 년 동안 단번에 규모를 확대시켰다. 주주에게 "시장을 잡기 위해 위험을 감수한다"고 공언하였다.
베조스의 근저에 있는 것은 '철저한 고객주의'라는 말에 집약할 수 있다. 구매자의 리뷰를 게재하는 등 나쁜 평가를 쓸 가능성도 포함하는 저자는 될 수 있으면 피하고 싶은 부분이다. 또한 헌책을 판매하는 것에 대해서는 amazon 내에서도 반발 의견이 나올 정도였다. 하지만 베조스는 "새 책을 살 것인지 고서를 구입할 것인지는 고객에게 선택권을 주면 좋겠다"는 결정을 내렸다.
책뿐만 아니라 영상이나 음악, 심지어 일용품도 취급하게 되면서, 베조스 자신 포브스 부호 순위에서 2018년 세계 1위를 차지했다.
그리고 베조스가 추구하는 사업은 amazon뿐 아니라 우주 비행 사업을 목적으로 하는 블루 오리진을 설립(고등학교 졸업시에 우주 사업을 하고 싶다고 선언했다고 한다)하였으며, 또한 유명지인 워싱턴 포스트를 인수했다. 그리고 온라인 구독을 실현시켜 회사를 흑자로 전환시켰다.
프론티어 스피릿과 데이터 주의를 겸비한 제프 베조스. amazon의 노동 환경이 매우 어려운 것이 여러 번 거론되거나 자선 사업에는 거의 돈을 돌리지 않으며, 또한 최근 25년 부부가 된 아내와 이혼을 발표하는 등 여러가지로 세상을 시끄럽게 하고 있다. 뜨거운 심장과 뛰어난 두뇌를 모두 가진 희대의 천재인가, 혹은 냉철한 독재자인지, 앞으로의 베조스의 동향에 주목할 만하다.

제프 베조스의 명언 10가지를 소개한다.

1. 변하지 않는 것을 軸으로 전략을 세울 것.

"선택은 더 많이 가격은 보다 저렴하게 배달은 보다 신속하고 확실하게" 베조스는 이 3요소를 고객이 "변함없이 계속 요구하는 것"으로 정의하고 모든 전략을 세웠다. 변하지 않는 것으로 축을 두지 않으면 장기적인 성장은 기대할 수 없다.

2. 고객에게 집착하라.

베조스는 회의실에 아무도 앉지 않는 의자를 가져와 거기에 아마존에서 가장 중요한 인물 = 고객이 앉아 있다고 가정했다. 현재 의자의 역할은 특별히 훈련된 직원이 수행한다. 그들이 싫은 내색을 하면 간부들은 떨기 시작한다.

3. 우리는 오랫동안 오해되는 것을 마다하지 않는다.

아마존의 신규 사업의 대부분은 당초 채산이 맞지 않는 취미처럼 보인다. 따라서 종종 아마존 주가는 폭락하고 애널리스트의 냉소를 부른다. 하지만 베조스는 개의치 않는다. 의미있는 사업이라면 꽃 피는 데까지 5~7년 걸리더라도 문제 없다.

4. 회사는 2종류가 있다. 고객에게서 더 받기 위해 노력하는 회사와 덜 받기 위해 노력하는 회사이다. 우리는 후자에 해당된다.

비용 절감의 결과를 고객에게 환원한다고 선전하는 회사는 많이 있다. 그러나 아마존처럼 철저하게 이를 수행하는 회사는 적다.

5. 고객의 니즈로 부터 역산하라.

킨들 같은 아마존의 새로운 빅 프로젝트의 사양은 엔지니어의 취향이 아니라 고객의 요구에 의해 결정된다. 반대로 고객에게 받아들여지지 않는 상품은 가차없이 중단된다. 그것이 거대한 부문을 깨게 될지라도.

6. 아마존의 기업 문화는 '조화'와 '열정' 하지만 정작 그중 하나를 선택하라면, 우리는 '열정'을 취한다.

이견이 있으면 열정을 가지고 철저하게 토론한다. 이것이 아마존의 문화. 그러나 정량적 데이터와 분석이 무엇보다 중요시되기 때문에, 의견을 말한다면 충분한 준비가 필요하다. 검투사와 같은 진검승부가 사무실 곳곳에서 이루어지고 있다.

7. 발명가가 되고 싶다면 실패를 두려워하지 말라.

창업시 고용된 많은 편집자들은 고객이 평가를 써넣은 '고객 리뷰'의 도입으로 무용지물이 되었다. 경매 시장 진입에 실패했다. 하지만 베조스는 말한다. "무엇인가를 배울 수 있다면, 걸림돌도 삶의 일부다."

8. 자신이 가지고 있는 시간을 100%라고 하면 일단 30%를 서비스 구축에 나머지 70%를 프리젠테이션에 충당했지만, 시대는 변했다. 이제는 반대다.

베조스는 광고에 쓰는 돈이 있으면 화려함은 없어도 고객 만족도를 높이는 연구에 투자해야 한다고 생각한다. 가격과 서비스에 감동한 고객은 반드시 누군가에게 그것을 전달한다. 입소문이야말로 아마존을 강하게 한다.

9. 누구나 콜센터에서 일하지 않으면 안된다.

바이럴 시대[68]에 있어 클레임은 치명적인 타격이 될 수 있다. 베조스는 자신을 포함한 전체 관리직에 매년 2일간의 콜센터 교육을 받도록 하고 있다. 얻을 수 있는 것은 고객에 대한 겸손과 공감이다.

10. 오늘은 인터넷의 1일째 (the Day 1)이다. 배울 것은 엄청나게 있다.

1997년 아마존이 내놓은 최초의 주주에게 보낸 편지에 들어 있는 문장이다. 베조스는 이것을 지금도 잊지 않는다. 최근 만들어진 시애틀 본사 사옥 중 중심이 되는 두 빌딩의 이름은 'Day 1 North' 'Day 1 South'이다.

68) 이메일이나 다양한 통신매체를 통해서 고객들이 자발적으로 어떤 기업이나 제품의 마케팅 메시지를 널리 퍼트릴 수 있도록 제작하고 이를 촉진하는 방식으로 홍보하는 마케팅 시대

CHAPTER 6

처세

71. 제품에 대한 집착만큼은 일체 타협하지 않는다 It's my principle

- 제임스 다이손 -

영국의 가전 메이커 다이손의 창업자. 다이손의 순익은 1억 파운드를 넘는다고 한다. 영국 왕실미술대학을 나와 가구와 인테리어 디자인을 배운 후 공학으로 전향. 종이백이 필요 없는 듀얼 사이클론 청소기, 날개 없는 선풍기 등을 발명한 사람으로 유명하다.

이 명언은 다이손 씨가 라이센스 교섭할 때 자주 쓰는 말이다. 종이백이 없는 청소기를 만들게 된 계기는 다이손 씨가 종이백 식 청소기의 문제를 해결하지 않고 제품을 만든 메이커에 화를 낸 것이 발단이 되었다고 한다. 그 후 이 문제를 해결하기 위해 시작품을 혼자서 만들기 시작했다

시작품이 3,146번째 만들었을 때 그는 에디슨의 「실패자란 얼마나 성공에 다가갔는지 알지 못한 채 그만둔 사람이다」라는 말에 용기를 얻어

더욱 분발하였다고 한다.

결국 5년간 5,127개의 시작품을 만들어 청소기 다이손이 완성되었는데 제품화에는 더 시간이 걸려 결국 시작품을 만든지 15년 후에야 제품이 나왔다. 5년간 5,127個의 시작품이란 1年(365日)×5年=1825日。하루에 약 3개의 시작품을 만들었다는 계산이다, 이렇게 무려 5년간을 계속했다니...상상이 가지 않는다. 다이손의 자신의 제품에 대한 집착을 알 수 있는 사례다.

집착이란 부정적인 이미지가 있지만, 이처럼 새로운 제품이 탄생하기 위해서는 대중의 취향이나 의견 관습에 구애받지 않고 기존의 편견이나 상식을 뛰어넘기 위해서는 불가피한 것이다. 기존의 효율성이나 합리성에 지배당하지 않는 자신만의 억척스러움이 없이는 기존의 발상을 넘는 제품을 만들어 낼 수 없는 것이다

선풍기는 날개가 있어야 한다는 발상을 깨부수기 위해서는 자신만의 집착, 더 나아가 오타쿠(덕후)라고 표현되는 고집스러움이 필요하다고 하겠다.

당신은 지금 철저하게 집착하고 있는 것이 있습니까?

72. 당신이 서 있는 곳을 깊이 파라. 그곳에서 맑은 샘물이 솟을 것이다

- 프리드리히 니체 -

니체의 '즐거운 지식'에 나오는 명언이다.

'두려움 없이 **당신이 서 있는 곳을 깊이 파라. 그곳에서 맑은 샘물이 솟을 것이다.** 어리석은 인간들은 외치게 놔두어라. 아래로 가면 오직 지옥뿐이다! 라고 해도 '69)

두려움은 어디에서 오는가. 그 근원은 아마도 자신에 대한 자신감의 부족에서 오는 것이 아니겠는가. 두려움은 오늘을 불안하게 만들고 내일이란 희망을 위협한다. 그러니 자신의 재능을 믿고 그 원천을 파들어가 당신의 독자의 능력을 샘솟게 하는 거다. 설사 다른 사람이 '소용없어'

69) 니체, 즐거운 지식

라고 당신을 비난하더라도 자신의 내면에 있는 보물과 만날 기회를 포기해서는 안된다.

누구나 자신만의 샘(泉)을 갖고 있다. 중요한 것은 그 존재를 믿고 자신이 서있는 곳에서 우직하고 철저하게 파고 들어가는 노력이다.

말콤 글래드웰은 어떤 분야에서건 1만 시간 이상의 지식과 경험을 쌓게 되면 그 분야에서 최고가 될 수 있다고 한다. 1만 시간은 하루 3시간씩 10년이 걸려야 하는 것이다.

피아노를 잘치는 엘리트 그룹, 그냥 잘치는 그룹, 음악 교사가 꿈인 그룹을 관찰한 결과, 확고부동한 목표와 의지를 갖춘 엘리트 그룹이 스무살 때 1만 시간을 달성했고, 잘하는 학생은 8,000시간, 음악 교사가 꿈인 그룹은 4,000시간을 연습했다고 한다. 어느 분야든 1만 시간의 노력을 기울이면 누구에게도 지지 않는 능력을 키울 수 있어 그 분야에서 제1인자가 될 수 있다.

우리는 천직을 찾아 나선다. 그러나 정작 천직은 자신이 지금 있는 곳에서 발견하는 경우가 많다.

73. 인간은 끝까지 해내는 힘이 있느냐 없느냐로 칭찬 또는 비난받을 만하다

- 레오나르도 다빈치 -

'최후의 만찬'이라는 작품을 본 다빈치의 친구가 "자네는 천재야! 이렇게 잘 그리는 사람은 없을 거야!" 라고 말하자 레오나르도 다빈치는 불같이 화를 내며 "내가 밤낮으로 노력하는 것을 보면 나한테 감히 천재라고는 못할 거야!".[70)]

다빈치가 강조한 끝까지 해내는 힘이 최근 비지니스나 스포츠 분야에서 중시되고 있다. 기업가, 비지니스 맨, 스포츠 선수, 아티스트 학자 등 다양한 분야에서 성공을 거둔 성공자에 공통적인 힘이 바로 '끝까지 해내는 힘'이라는 것이다. 이 '끝까지 해내는 힘'을 GRIT[71)]라 하며, 미국

70) http://iamiam.co.kr/team

의 심리학자이며, 펜실베니아 대학의 안젤라 리 더크워스 교수가 처음 제창한 말이다.

GRIT는 아래와 같이 4글자의 두문자(頭文字)를 딴 것이다.

- Guts (용기) : 어려움에 직면하는 "투지"
- Resilience (탄력성) : 실패해도 포기하지 않고 계속하는 '끈기'
- Initiative (이니셔티브) : 스스로 목표를 정하고 해결하는 "자발적"
- Tenacity (테나시티) : 끝까지 완수하는 "집념"

안젤라 교수는 세계 유수의 컨설팅 회사 맥킨지에서 근무 후, 뉴욕의 공립 중학교 수학 교사를 하고 있던 때 성적이 우수한 학생의 공통된 특징은 머리가 좋은 점이나 생활 환경이 아닌 것을 깨달았다. 그때부터 대학으로 돌아가 수많은 성공자들과 인터뷰하고 연구를 계속한 결과, "성공하는 사람들의 공통점은 '열정'과 '끈기', 즉 ' 끝까지 해내는 힘, 포기하지 않는 끈기(GRIT)"이라고 결론을 내린다.

2016년에 발매된 서적「Grit: The Power of Passion and Perseverance」은 베스트셀러가 되었고, 우리나라에서도 GRIT라는 제목으로 발매된 바 있다. 또한 TED에 등단했을 때의 동영상은 900만 회 이상 재생되고 있다.

재능과 지성이 있는 사람의 GRIT가 강한 것은 아니다

이 연구의 재미있는 점은 재능과 지성과 GRIT는 전혀 관계가 없다고 정의한 것이다.[72].

---

71) '장기적 목적에 대한 인내와 열정'으로 단순히 인내하거나 열정을 갖는 것만이 아니라 그것을 지속할 수 있는 힘을 의미하고 있다

'성공에 재능과 지성이 관계하고 있지 않다' 는 이 이론은 다양한 인종과 학력의 사람이 존재하는 미국에서 널리 받아들여졌다. 연구는 '재능을 가지면서 도중에 좌절해 버린 사람'과 '주변에 비해 뛰어난 재능을 가지고 있지 않아도 성공을 거둔 사람 '등이 실제로 존재하는 것을 예로 들면서 그 일을 자세히 설명하고 있다. Facebook의 CEO인 마크 저커버그 씨의 사업 성공 요인도 GRIT이다.

GRIT는 늘릴 수 있다

그리고 GRIT은 성인이 되고 나서도 훈련을 통해 후천적으로 늘릴 수 있다. 지금까지 성과를 내지 못한 사람도 GRIT를 높임으로써 성과를 발휘할 수 있는 인재가 될 수 있다면 개인적으로도 기업도 기쁘지 않을 수 없다.

GRIT를 늘리기 위한 방법

GRIT은 단순히 '그냥 뭔가를 하고 끝까지 포기하지 않으면 된다'라는 말은 아니다. 올바른 목표를 설정하고, 다른 사람의 조언을 겸허히 받아들여 주위 사람들에게 인정되는 행동을 취하는 것이 중요하다. GRIT을 늘리기 위한 방법으로는 다음과 같은 것을 들 수 있다.

1. 관심이 있는 것에 몰두
2. 실패를 두려워하지 않고 도전을 계속 (도전 할 수 밖에 없는 환경을 만드는)

---

72) "재능이 중요하지 않다"는 이야기가 아니라 "재능이 있더라도 그것을 살리는가 아닌가 여부는 다른 문제이다"라는 것이다

3. 작은 성공 체험의 축적

4. GRIT가 있는 사람이 있는 환경에 자신을 넣기

우선 학창 시절 동아리 활동이나 과외 활동처럼, 자신이 진심으로 집중할 수 있는 것들을 찾아보자. 이것은 본업에 직결되어 있지 않아도 상관없다. 그 활동을 꾸준히 행하는 것으로 GRIT가 형성되어 그것이 본업에도 살릴 수 있게 되기 때문이다. 또한 그때는 아무 일도 처음부터 무리라고 단정하지 않고 새로운 것에 도전해 보는 것이다. '어쩌면 할 수 있지 않을까' '어떻게 하면 할 수 있을까'라고 상황을 긍정적으로 파악하는 버릇을 붙이는 것부터 시작하자.

자신의 의식과 습관을 바꾸는 것은 꽤 허들이 높다고 생각하기 때문에 GRIT가 높은 사람이 곁에 있는 환경에 스스로 뛰어들어 그렇게 할 수 밖에 없는 상황으로 자신을 몰아넣는 것도 때로는 필요하다. 안젤라 교수도 실제로 "힘든 일에 도전한다'는 규칙을 가족과 함께 공유하고, 하지 않을 수 없는 환경을 만들고 있었다고 한다.

그리고 마지막으로, GRIT가 높은 사람은 항상 자신에게 자신감을 가지고 자신이라면 할 수 있다는 신념을 가지고 있다. 그 믿음을 지탱하고 있는 요소 중 하나가 과거의 성공 경험이다.

우선은 자신도 가능한 것부터 조금씩 시작해 점차 자신의 능력보다 조금 더 높은 목표를 설정하고 그것을 해결하는 경험을 쌓는 것도 중요하다. 과감하게 도전하고 실패하더라도 도전을 계속합시다. GRIT가 높다는 사람들도 수많은 실패를 거쳐 큰 성과를 남긴 것이다.

지금이라도 늦지 않다. GRIT를 높여 나가자

74. 비판을 용납할 수 없다면 새롭거나 흥미로운 일을 하지 마십시오

- 제프 베조스 -

우리는 규범에서 벗어나거나 기존 아이디어에 도전할 때마다 비판에 직면할 가능성이 높다는 것을 상기시켜 주는 명언이다. 혁신하고, 창조하고, 경계를 넓히는 것은 모두 기존의 규범과 안전지대를 파괴하기 때문에 면밀한 검토를 요구하는 행동이다. 새롭고 흥미로운 일을 하는 대가이다. 비판은 새로운 영역을 개척할 때 영역의 일부일 뿐이다.

하지만 여기서 중요한 점은 비판이 항상 파괴적인 것은 아니라는 점이다. 아이디어를 다듬고 작업을 개선하는 데 유용한 도구가 될 수 있다. 비판을 받아들이고 심지어 환영할 수 있다는 것은 성숙함, 겸손함, 성장에 대한 개방성의 표시이다. 따라서 비평가들을 용납할 수 없다면, 새롭고 흥미로운 분야에 발을 들여놓지 않는 것이 최선일 수 있다. 그러나 비판을 건설적으로 사용하는 법을 배울 수 있다면 혁신적인 아이디어의 더 나은 버전으로 안내하는 나침반이 될 수 있다.

제프리 베조스는 최근 Recode Conference에서 Walt Mossberg와 인터뷰를 가졌다.

베조스에 따르면, 파장을 일으키지 않는 사람들은 비판받지 않는다. 비판받는다는 것은 적어도 게임에 참여하고 있다는 것을 의미한다. 세상에 뭔가 재미있는 것을 던지면 항상 비판받을 것이다. 비판을 참을 수 없다면 새롭거나 흥미로운 것은 하지 않는 것이 좋다고 그는 강조한다.

예를 들어, 누군가가 당신을 괴롭히고 있다고 가정해 봅시다. 그러나 그것을 당신이 상대하는 데 시간을 보내고 싶습니까? 차라리 한 걸음 물러서서 심호흡하고, 해야 할 일, 즉 미래의 위대한 일에 더 많은 시간을 할애하는 것이 더 낫지 않을까요?

베조스는 상대방의 말이 완벽하더라도 "복수를 하면 두 개의 무덤이 당신을 기다리고 있고, 그중 하나는 당신의 것이 될 것"이라는 말을 기억하라고 말했다. 자신에 대한 불쾌한 말에 대한 최선의 방어책은 둔감해지는 것이다. 비판을 멈출 수는 없다. 신경 쓰는 것은 시간 낭비다. 오직 진전만이 있을 뿐이다.

신경이 쓰이는 것이 생기면 길모퉁이에 서서 지나가는 사람들을 지켜보십시오. 아무도 당신에 대해 생각하지 않습니다.[73]

---

73) 제프 베조스

75. 연령이 완고하게 만드는 것은 아니다 성공이 완고하게 만든다

- 시오노 나나미-

원래 전문은 다음과 같다

"**연령이 완고하게 만드는 것은 아니다. 성공이 완고하게 만든다**. 성공으로 인해 완고해진 사람은 변혁이 필요한 상황이 닥쳐도 성공으로 인해 얻은 자신감으로 인해 다른 길을 모색하지 못한다"

이 명언은 시오노 나나미(塩野七生)의 로마인의 이야기 한니발 전에서 크게 활약한 정치가, 장군 파비우스 맥시무스 (Fabius Maximus)에 대해 언급한 내용이다. 파비우스는 제2차 포에니전쟁에서 한니발이 이끄는

카르타고 軍의 막강한 전력을 알아채고 '멍청이'라는 별명을 얻을 정도로 주변의 반대를 무릅쓰고 정면전을 피하고 보급로를 차단하는 지구전을 전개하여 대성공을 이룬 성과로 '로마의 방패'라고도 불린 인물이다. 이처럼 지구전에서의 성공 경험을 가지고 있던 그는 스키피오(Scipio)가 아프리카로 원정할 때는 극심한 반대를 하였다. 한니발을 이탈리아에서 배제하는 것에 최우선을 두어왔던 그였기에 원정에 대해서는 부정적일 수 밖에 없었다. 결국 스키피오는 원정을 통해 한니발 군대를 보병으로 맞서면서 후방에서 우세한 기마병으로 포위하는 전략으로 대승을 거두어 사실상 포에니 전쟁을 끝냈다. 이로 인해 그는 大스키피오라는 칭호를 얻게 된다.

파비우스가 시대 변화에 대해 눈을 뜨지 못한 것은 시오노 나나미가 지적한 대로 연령이 아니라 지구전에서의 성공 경험, 그리고 한니발을 배제한다는 과거의 승리로 이끈 전략이 그로 하여금 다른 선택을 원천적으로 배제하도록 만든 것에서 기인한다고 하겠다.

하부 요시하루(羽生 善治)는 약관 20대에 일본 장기 7관왕으로 평정하여 일본 열도를 '하부 fever'로 뜨겁게 달군 인물이다. 前 일본 장기연맹 회장 요네나가 쿠니오(米長 邦雄)씨가 당시 기성 타이틀을 하부 요시하루에게 탈취당한 후 일본 경영자들을 대상으로 한 어느 강연에서 한 말을 소개한다. 74)

그는 자기 같은 베테랑이 왜 젊은 강호들에게 맥을 못추는 이유에 대해 "우리처럼 연배가 많은 기사들은 자기나름대로의 필사의 전형(戰型)을 써서 이겼던 기억을 잊지 못하기 때문이다. 이미 그 전형(戰型)은 통용되

---

74) 竹內政明의 명언수첩에서 인용

지 않음에도.."라고 자신의 쓴 경험을 이야기하자 강연장이 숙연해졌다고 한다. 산업현장에서도 얼마든지 그런 사례가 있었음을 강연에 참가한 경영자들은 알고 있었기 때문이리라.

필자가 일본에서 주재할 때도 같은 경험을 하였다. 당시 일본 주식은 닛케이 평균이 4만에 육박하였다가 폭락을 거듭해 2만 대에서 머무르고 있을 때였다. 폭락으로 인해 대손실을 입은 어느 금융기관에서 특이한 인사가 화제가 되었다. 주식부장을 영업 부서로 보내고 대신 주식에 대해 전혀 문외한인 기획부장을 발령낸 것이다. 그 이유는 머릿 속에 과거 챠트가 없기 때문이라 한다. 상승장에서의 성공 경험이 있는 사람은 하강장에서는 전혀 의미가 없기 때문이라는 것이다. 과거 상승장에서의 주가를 기억하는 사람은 (현재의 주가가 싸게 보일 수 밖에 없어서) 올바른 투자 판단을 하기 어렵기 때문에 실수를 거듭하기 쉽다는 것이다. 그 후로 주지하시다시피 일본 주가는 20년간 올라가지 않았다.

발본적인 개혁은 과거의 성공에는 가담하지 않은 이들을 통해서 밖에 이루어지지 않는 것은 역시 성공 경험에 의한 완고함이 작용하는 것이 아닐까? 이따끔씩 젊은 세대에 의해 전해지는 성공 소식은 그들이 젊기 때문에 과거의 성공에 가담하지 않았기 때문이리라.

76. 오로지 그것만 생각했을 뿐입니다

- 아이작 뉴톤 -

"당신은 어떻게 해서 중력의 법칙을 발견했습니까?"라는 질문에 대답한 말이다. 콜럼부스의 아메리카 대륙 발견과 버금가는 역사상 위대한 발견이라는 만유인력. 뉴톤은 아무도 눈여겨 생각하지 않았던 사과가 떨어지는 자연현상을 보고 '왜 떨어지는가?'라는 의문을 품고 사과를 나무에서 떨어뜨리는 힘이나 지구를 태양 주위로 돌게 하는 힘이 모두 같은 종류의 힘, 중력이라는 것을 발견하였다.

" 점심을 먹고 정원에서 차를 마실 때였다. 명상에 잠겨 앉아 있는데 우연히 사과가 떨어지는 것을 보고 '아하' 하고 생각했다. 왜 사과가 곧장 아래로 떨어지는 것일까?'라는 의문에 빠졌다. 왜 사과는 땅에 떨어지는 대신에 하늘로 솟구치거나 옆으로 날지 않는 것일까? 결국 그는 사과가 아래로 떨어지는 것은 무엇인가가 그것을 아래로 끌어당기고 있기 때문이라는 결론에 이르렀다."[75]

성공에 필요한 것을 한 가지만 가르쳐달라고 한다면 항상 소원과 목표에 대해서 생각하라고 답할 수밖에 없다. 우리들의 인생은 우리들의 사고로 이루어져 있다. 자신이 가장 많은 시간을 할애하는 것을 안다면 자신이 어떤 인간이 될 것인가도 알 수 있다. 만일 자신의 기대와 다른 것을 생각하더라도 마음만 고쳐먹으면 운명을 바꿀 수 있다

인간은 의식적 또는 무의식으로 자신의 인생을 만들어 가면서 위인(偉人)이 되기도 하고 범인(凡人)이 되기도 하며 또 가난뱅이가 될 수도 있다. 오로지 당신이 원하는 것 되고 싶은 것에만 의식을 집중하라. 그러면 아주 자그마한 기회나 찬스도 알아챌 수 있으며 바로 반응할 수 있다.

우리는 이 세상에 태어날 때 神으로부터 2가지 봉투를 받았다고 한다. 하나는 자신의 뇌력(腦力)을 의식적으로 유효하게 활용한 경우에 주어지는 富와 보수의 리스트가 들어간 봉투요, 다른 하나는 자신의 뇌력을 활용하지 않았을 때 주어지는 벌칙(罰則) 리스트가 들어간 봉투라고 한다. 대자연은 오로지 인간에게만 생각하는 뇌력을 부여하여 그것을 활용하도록 하였다.

사고(思考)는 현실화된다. 지금 당신이 마음으로 생각하고 있는 것은 마치 달걀에서 새로운 생명이 태어나듯이 언젠가 당신의 눈앞에 현실이 되어 나타난다. 당신은 마음속에서 되고 싶어 하는 것은 무엇인가? 오로지 그것만을 위해 주어진 뇌력을 활용하고 있는가?

---

75) 조경철의 과학사

77. 허물을 벗지 않는 뱀은 죽는다

- 프리드리히 니체 -

프리드리히 니체는 독일의 철학자、고전 문헌학자로 그리스철학과 쇼펜하우어 등으로부터 영향을 받아 폭넓은 독서를 바탕으로 예리한 비평의 눈을 통해 서양 문명을 혁신적으로 해석했다. 실존주의 철학의 선구자로 수시로 격언을 사용하여 기교 넘치는 산문적 표현에 의한 철학적 시도는 문학적 가치를 인정받고 있다.

니체가 활동한 시기는 19세기 말이었다. 그는 세기말의 절망에서 어떻게 하면 사회에 활력을 불어넣어 새로운 희망의 빛을 찾아낼 수 있을까 하는 고민을 통해 절망적인 실의에 빠진 이들에게 밝게 비춰주는 말들을 많이 전해주고 있다.

이 명언은 니체의 『서광(曙光)』에 나오는 말이다. 정작 많이 인용되고 있

으면서도 출처에 대해서는 중국 고전이니 하면서 다소 오해들이 있는 것 같다. 원문은 다음과 같다

허물을 벗지 않는 뱀은 죽는다. 의견을 바꾸지 못하는 생각은 마찬가지로 생각이라 할 수 없다

뱀이 허물을 벗으면서 성장해 가듯이 인간도 마찬가지로 낡은 허물을 벗지 않으면 진보할 수 없는 법이다. 애벌레가 번데기가 되어 다시 고치를 뚫고 나와 하늘을 나는 나비가 되는 것은 바꿔 말하면 갱생(更生)이다. 갱생이란 '거듭해서 살아간다, start one's life a new'라는 의미로 나비로서 다시 새로운 삶을 살아가는 것이다. 심리학에서는 이를 성장으로 해석한다.

언제까지든 우화(羽化) 즉 성충이 되어 날개를 달지 않으면 나비는 될 수 없는 것이다. 나비가 되기 위해서는 반드시 허물을 벗어 우화(羽化)를 해야하는 것이다. 좁은 고치 속에서 갇혀 있지 말고 과감하게 벗어나 밖으로 나와 전향적으로 살아가라는 멧세지다.

고치를 벗어나는 것을 누군가가 도와주면 그 나비는 날개가 허약해서 날지 못하고 죽는다고 한다. 결국 다른 사람의 도움 없이 스스로 벗어나려고 노력해야 날개가 튼튼해져 하늘을 날게 되는 법이다. 결국 자신의 강한 의지를 갖고 자신의 허물을 벗으려고 하지 않으면 의미가 없다. 그러나 허물을 벗는 데에는 두려움이 엄습하기 마련이다. 그것은 새로운 것을 얻기 위해 지금 입고 있던 편하고 안락한 옷을 벗어야 하기 때문이다. 그 뿐인가? 새로운 자신이 지금까지의 자신보다 좋을지 아닐

지는 실제로 변해 보기 전에는 알 수 없는 리스크까지 존재한다. 아무튼 새로운 것을 얻기 전에 익숙한 것에서 벗어나야 하는 것이다.
한편으로는 역설적으로 누구나 다 할 수 없기 때문에 허물을 벗는 과정이 가치가 있다고 할 수 있다. 만일 당신이 지금 변화를 두려워하거나 변화한 이후의 자신에 대해 확신을 갖지 못하고 주저한다면 당신의 가치는 희소성이 없는 존재로 전락할 수 있음을 경계해야 할 것이다.
변화보다 더 두려워할 것은 스스로가 희소성이 없는 일반화가 되는 것이 아닐까? 우리가 바라든 바라지 않든 세상은 항상 변화하는 법이다. 자신의 정체성은 확실하게 유지하면서 항상 세상 변화에 맞추어 대응해 나갈 수밖에 없다. 과거의 안락함과 편안함에 안주하거나 새로운 변화에 대해 두려워한다면, 결코 나비로서의 새로운 삶을 살 수 없다는 것, 그리고 자신이 그저 그렇고 그런 사람으로 일반화할 수 있다는 것을 알아야 한다.

'변하지 않으면 성장하지 못한다. 성장하지 않으면 실제로 사는 것이 아니다[76]

당신을 둘러싸고 있는 환경은 변화하고 있습니까?
당신은 그런 변화에 대해 어떻게 마음먹고 있습니까?

---

76) 게일 시이, 원래 신문, 잡지의 리포터였는데 1970년대 전반에 미국의 중산계층을 철저히 인터뷰하면서 성인기의 위기의 유사성과 그 예측가능성을 정리하여 발표한 'Passages'로 일약 유명하게 되었다.

78. 세상은 지위의 고하를 가리지 않고 누구나 때려 부순다 그러면 많은 사람들은 바로 그 부서진 곳에서 더 강해진다

- 어니스트 헤밍웨이 -

『무기여 잘 있거라』에서 대표적인 문장으로 자주 인용되는 가장 유명한 구절이다. 어니스트 헤밍웨이는 『무기여 잘 있거라』에서 세상은 결국 모든 사람을 깨부수고 부서지지 않는 사람은 죽인다고 선언한다. 당신이 긍정적인지 어떤 것을 원하는지는 중요하지 않다. 현실은 당신을 따라잡고 깨부술 것이다. 원문은 다음과 같다.

캐서린과 함께 있는 동안에는 밤이라고 달라지는 것이 전혀 없었고 오히려 반가운 시간이 되었다. 사람들이 세상에 너무 많은 용기를 가져올 때, 세상은 그들을 제압하기 위해 죽여야 한다. 실제로 세상은 그렇게 한다. **세상은 지위의 고하를 가리지 않고 누구나 때려 부순다. 그러면 많은 사람들은 바로 그 부서진 곳에서 더 강해진다.** 하지만 아무리 부서지지 않으려 해도 세상은 그를 죽인다. 아주 착한 사람, 아주 점잖은 사람, 아주 용감한 사람을 가리지 않고 닥치는 대로 죽인다. 설사 이런 부류의 사람이 아니더라도 세상은 언젠가 그를 죽인다. 단지 그리 서두르지 않을 뿐이다.[77]

헤밍웨이는 세상이 우리를 깨부순다고 말하지만 그는 또한 그 부서진 곳에서 강해진다고 한다. 따라서 세상이 당신의 글, 음악, 예술, 사업 아이디어가 절대적으로 쓰레기라고 불러도 상처받기는 하지만 필요한 일이다. 당신과 그 아이디어가 부서지는 것이 더 강해질 수 있는 유일한 방법이다. 그리고 당신이 강해지기 때문에 모든 거절에 대해서도 덜 상처 입게 되고, 당신이 강해지면 자기비판을 하고 필요할 때 수정하는 능력도 덩달아 강해진다. 헤밍웨이조차도 자신의 글을 깨 부서야 했다. 사실 그는 결말 부분을 39번이나 다시 썼다. 결말만 그런 게 아니고 다른 구절들도 여러 번 다시 썼고 오프닝에 대한 원래 아이디어를 폐기까지 했다. ' 부서지지 않는 사람은 죽는다 '이 구절의 의미는 당신이 고집을 부리고 당신 방식대로 한다면 당신의 아이디어는 사라진다는 것을 음미한다. 진화는 고난에서 비롯되는 것이다. 그리고 당신이 개혁하기를 거부하면 당신과 당신의 아이디어는 멸종되고 결코 빛을 보지 못할 것이다. 그러므로 세상이 당신을 부수려고 할 때 놔둔 다음 개혁하고 수정하고 우뚝 서라. 당신은 부서진 곳에서 더 강해진다.[78]

---

77) 무기여 잘 있거라 , 이종인 번역, 329p~330

78) Stephen Niedzwiecki ,' 세상이 모든 사람을 깨부수는 것이 좋은 이유' 에서 인용

79. 자유는 책임을 의미한다. 그러므로 대개의 인간은 자유를 두려워한다

- 조지 버나드 쇼 -

이 명언은 '철학적 희극'이라는 부제가 붙어 있는 그의 대표적인 희극 『인간과 초인』에서 나오는 말이다. 자유에는 책임이 수반된다는 자유의 핵심을 찌른 명언이 아닐 수 없다.

흔히 우리는 자유라고 하면 '마음먹은 대로' '제멋대로'의 의미를 떠올리기 쉽다. 그런데 자유(自由)의 한자의 어원은 '욕망으로 부터의 해탈'이라는 불교용어에서 유래한다고 한다. 아이러니칼하게도 우리가 알고 있는 자유와는 완전히 반대의 삶의 방식을 의미한다. 피타고라스가 말한 '절제를 할 줄 모르는 사람은 자유인이 될 수 없다'라고 한 말과 상통하는 말이다.

다음에는 책임에 대해서인데 흔히 책임은 의무라는 의미로 사용한다. 영어로는 responsibility 그 어원은 라틴어 respondere, 즉 '응답한다'는 의미다.

자동차의 액셀을 밟으면 차가 훌쩍 앞으로 나가고 액셀을 풀면 차가 감속하는 것처럼 어떤 행위를 하면 그 결과가 필연적으로 일어나고 행위를 하지 않으면 아무 결과도 일어나지 않는 의미가 내포되어 있다. 그래서 책임진다는 것은 '자신의 판단으로 자신의 행동을 컨트롤하는 태도를 견지한다'는 의미로 해석할 수 있는데 그러기 위해서는 자신 만의 삶이 방식, 사고방식 등을 명확하게 할 필요가 있다.

사르트르도 그의 저 '존재와 무'(Being and Nothingness)에서 인간은 자유롭도록 '선고'(또는 단죄, 처단)받았다고 표현하고 있다. 선택의 자유가 있음과 동시에 반드시 그 자유를 행사해야 할 의무가 있다는 것이지요. 선택을 하지 않을 자유는 없는 것이다. 그는 "인생은 B(Birth)와 D(Death)사이의 C(Choice)" 라고 하였는데, 인간은 실존하기 때문에 태어나서 죽을 때까지 선택에 직면하게 되며, 순간순간 선택할 자유가 있고 또 선택을 해야 하며, 그 선택에 대한 책임을 지며 살아간다는 의미다.

행동에는 결과가 따른다. 이것이 삶의 첫 번째 규칙이다
두 번째 규칙은 이렇다
자신의 행동에 책임이 있는 유일한 사람은 바로 자기 자신이다[79]

79) 홀리 라일, 미국 작가

우리는 스스로 바라는 삶의 모습을 계획하고 이에 모든 것을 던짐 즉 투기(投企)함으로써 자신의 본질을 만들고 스스로 자기다운 삶을 살 수 있다. 즉 자신의 삶의 길을 스스로 선택하고 결정해야 하지만 모든 책임을 자신이 질 때 비로소 진정한 자유를 누릴 수 있다.
그럼에도 불구하고 원래 사람들은 오히려 규칙으로 얽매어 있는 편을 더 선호하기 마련이다. 무엇을 할 것인가 미리 정해 놓고 그 범위 안에서 행동하는 편이 더 편하다고 생각하는 거지요

예를 들면 정년을 맞은 직장인이 자유로운 삶을 사는 것을 기뻐하기보다는 지금까지의 자신의 정체성이나 삶의 방식을 잃고 시간을 어떻게 보내야할지 전전긍긍하는 것과 같은 이치다. 영화 쇼생크 탈출에서도 레드(모건 프리먼 扮)는 "이 철책은 참 웃기지. 처음에는 싫지만 점차 익숙해 지지. 그리고 세월이 지나면 벗어날 수 없어. 그게 길들여진다는 의미야" 는 대사가 나온다.

버나드 쇼가 말한 '자유는 책임을 의미한다. 그래서 대개의 인간은 자유를 두려워 한다', 사르트르의 ' 자유란 형에 처해졌다'라는 말들이 실감나지 않을 수 없다. 결국 자유를 두려워하지 않고 자유를 만끽하는 삶을 살기 위해서는 앞에서 말한 대로 자신 만의 삶의 방식, 사고방식 등을 명확하게 하는 것이 필요하다고 하겠다.

80. 강한 사람은 상대를 쓰러뜨리는 사람이 아니라 화가 날 때에도 자제할 줄 아는 사람이다

- 무함마드-

이슬람교의 역사적 기록에서 예언자 무함마드의 말을 기록한 '하디스'에 있는 말이다. 하디스는 무함마드가 말하고, 행동하고, 다른 사람의 행위를 묵인한 내용을 기록한 책이다. 하디스는 쿠란, 이즈마, 끼야쓰와 함께 샤리아[80]의 4대 원천을 이루며 그 중 쿠란 다음으로 가장 중요한 자

80) 샤리아라는 말은 옛 아랍어의 '지켜야 할 것'이라는 뜻의 단어로부터 기원한 것으로, 이슬람 율법학자들은 하느님이 내리신 완전한 법이며 모든 무슬림은 이 율법을 따라야 한다고 주장한다. 샤리아는 이론적으로는 쿠란, 하디스, 이즈마(ijma)[1], 끼야스를 법원으로 삼아 만들어졌다고 설명되지만 이슬람의 예언자인 무함마드가 직접 법전을 편찬한 것이 아니며 무함마드가 사망한 지 수십 년이 지나서 로마와 페르시아의 법률제도를 참조/반영하여 만들어진 것이다.

료다. 이 명언은 말을 바꾸면 자신의 감정을 컨트롤 할 수 있는 사람이 진정한 '강한 사람'이라고 말하고 있다.

누구든지, 분노 및 무심코 냉정을 잃은 행동을 하는 경향이 있다. 그러면 예상치 못한 실패를 초래하여 나중에 후회하는 위험이 매우 높지요. 욱하는 유형의 사람일수록 '자신을 컨트롤 할 수 없는 손실'을 초래하기 쉽다. 그래서 소중히 되는 것은 '눈앞에서 일어나고 있는 것에 대해 냉정하게 대처하는 힘'이다. 이를 잘 나타내는 사례가 조종사의 비상 행동의 차이다. 미숙한 조종사가 비행 중에 이상이 발견되면 "큰일이다!"라고 초조해하면서 황급히 뭔가 대처해서 바로 잡으려고 한다. 예를 들어, 안전을 위해 급강하하는 등의 행동이다. 만일의 경우 불시착하기 위해서지만 이러한 행동은 오히려 사고의 확률을 높여 버린다.

한편 숙련된 조종사는 어딘가에 이상이 발견되어도 우선 그대로 계속 비행한다. 아무것도 하지 않는 것은 아니고 그동안 머릿속으로 현상을 분석하고 최적의 방법을 가다듬어가는 것이다. 그리고 "원인이 이거다"고 대책안이 결정되면 거기서 처음으로 손을 댄다고 한다 .

위와 같은 이상시 조종사의 행동의 차이는 어디에서 나오는 것일까. 그것은 '경험과 지식의 차이'에서 나온다. 경험과 지식이 풍부하기에, 만일의 경우에도 냉정하게 상황을 판단하고 한 템포 건너서 행동에 옮길 수 있다. 감정에 휘둘리지 않고 적절한 행동을 해 나갈 수 있다. 결국, 이러한 '강한 사람'이 되기 위해서는 경험과 지식을 늘리는 계속적인 노력이 무엇보다 중요하다.

81. 가장 어려운 것은 행동하겠다는 결정이고, 나머지는 단지 끈기일 뿐이다

- 아멜리아 에어하트 -

원문은

" **가장 어려운 것은 행동하겠다는 결정이고, 나머지는 단지 끈기일 뿐입니다**. 두려움은 종이호랑이입니다. 마음만 먹으면 무엇이든 할 수 있습니다. 당신은 당신의 삶을 변화시키고 통제하기 위해 행동할 수 있습니다. 그리고 그 과정 과정은 그 자체로 보상입니다."

아멜리아 에어하트(Amelia Earhart)는 대서양을 단독으로 횡단한 최초의 여성이 된 미국 파일럿이자 작가다.

이 명언은 우리 삶에서 행동을 취하고 결정을 내리는 힘에 대해 말해준다. 행동하기로 결정하는 초기 단계가 가장 어렵긴 하지만 후속 여정은 결단력과 인내를 기반으로 한다는 것이다.
이 명언은 우리 자신의 삶을 형성할 수 있는 우리 내면의 엄청난 잠재력을 인식하도록 하고 있다. 일단 결정을 내리고 행동을 취하면 우리가 직면한 도전과 장애물을 극복할 수 있다는 것을 강조한다. 그것은 두려움이 만만치 않은 것처럼 보일지 모르지만, 두려움에 정면으로 맞서면 우리는 성취하고 극복할 수 있는 능력을 발견하게 된다는 것이다.
우리는 마음먹은 것은 무엇이든 할 수 있다는 생각을 받아들임으로써 우리는 새로운 가능성의 세계를 열 수 있다. 그것은 우리가 안전지대에서 벗어나 도전을 받아들이고 흔들리지 않는 결단력으로 열망을 추구하도록 한다. 이 명언은 우리의 삶을 통제하고 의도적인 결정을 내리는 행위가 성장, 성취 및 자아실현을 위한 강력한 촉매제임을 상기시켜 주고 있다.

아멜리아 에어하트의 명언의 실사례를 들어보자. 20세기에 로자 파크스(Rosa Parks)라는 젊은 여성은 미국의 인종 차별에 맞서 용기와 결단력의 상징이 되었다. 1955년 12월 1일, 앨라배마주 몽고메리에서 로자 파크스는 대대적인 민권 운동에 불을 붙일 결정을 내렸다. 그녀와 동료 아프리카계 미국인들이 매일 견뎌야 하는 부당함에 지친 로자 파크스는 버스에서 백인 승객에게 자리를 양보하라는 버스 운전사의 지시를 거부했다. 당시의 만연한 차별 법에 대한 이러한 저항 행위는 인종 평등을 위한 투쟁에서 중추적인 순간이었다. 로자 파크스는 의식적으로 행동하기로 선택함으로써 변화를 이끌어내는 데 있어 가장 어려운 부분은 결정 자체에 있다는 것을 보여주었다. 두려움에도 불구하고, 그녀는 그것들이 정의를 추구하는 그녀의 노력을 방해하도록 내버려 두지 않았다. 그녀의 결의와 확고한 결단력은 그녀를 앞으로 나아가게 했다.

로자 파크스의 시민 불복종 운동은 몽고메리 버스 보이콧을 촉발시켰을 뿐만 아니라 마틴 루터 킹 목사가 참여하게 되는 등 광범위한 민권 운동의 기폭제가 되었다. 그녀의 용기와 신념은 개인이 억압적인 체제에 도전하고 자신의 운명을 바꿀 수 있는 힘을 가지고 있음을 보여주었다. 그녀는 후에 미국 의회에 의해 "현대 인권운동의 어머니"라고 명명되었다. 로자 파크스의 이야기는 우리가 신념에 따라 행동할 용기를 가질 때 두려움이 우리를 사로잡지 못한다는 것을 상기시켜 준다. 우리의 행동을 통해 의미 있는 변화를 일으키고 우리 삶에 대한 통제력을 되찾을 수 있다.

로자 파크스(Rosa Parks)가 남긴 유산은 평범한 개인이 두려움을 극복하고 더 나은 미래를 향한 진로를 계획할 때 놀라운 영향을 미칠 수 있다는 사실을 강력하게 증명하고 있다.

(명언 모음 6)
레리 페이지 명언 모음

마이크로소프트와 빌 게이츠, 애플과 스티브 잡스, 페이스북과 마크 저커버그. IT 업계를 선도하는 기업과 그 기업의 창업자다. 삼척동자도 다 아는 이름이다. 감히 혁신의 아이콘이라고 부를 만하다. 하지만 셋 못지 않은, 어쩌면 셋보다 더 혁신적일지도 모를 한 사람에 대해선 잘 모른다. '천재'라는 칭호가 세계에 1명 밖에 주어지지 않는다면, 지금이라면 이 사람이야말로 어울린다. 바로 래리 페이지(Larry Page). 래리 페이지의 본명은 '로렌스 에드워드 페이지(Lawrence Edward Page)'다.
여기 그의 명언을 소개한다

1. "그런 바보 같은 짓은 할 수 없다"고 누구나 생각한다면 경쟁

자는 없는 것이나 다름 없다

"세계의 정보를 정리한다'는 목표를 내걸고 있는 구글. 창업 전에 개발한 검색 서비스를 '야후'나 '익사이트'에 매각하려고 했지만, 평가를 얻지못하여, 실현되지 않았다. 여기서 페이지는 발상을 전환 "경쟁자는 없다"고 판단. 검색 서비스를 발전시켜 나갈 것을 선택한다. 페이지의 판단을 부정하는 사람은 없을 것이다.

2. 아이디어에는 가치가 없다. 그것을 실행하고 나서야 비로소 가치가 있게 된다

구글 맵이나 구글 어스 전자화된 서적을 검색할 수 있는 구글 북스 등 비상식적이라고 생각했던 아이디어를 실현시켜 온 래리 페이지. 아이디어를 생각해 낼 뿐만 아니라 실현시키는 데 집념을 불태우게 된 원점에는 어린 시절에 읽은 천재 발명가 니콜라 테슬라 전기에 있는 것 같다. 뛰어난 두뇌와 아이디어를 가지고 테슬라가 빚을 안고 남몰래 사망하는 인생을 보낸 것에 충격을 받았다는 페이지. 전기를 읽고, "발명하는 것만으로는 안된다. 여하튼 그것을 세상에, 사람에게 사용하고 어떤 성과를 낳아야 한다"는 생각을 품고 세상을 바꾸기 위해서는 사업 면을 고려해야 하는 중요성을 배웠다고 한다.

3. 대담한 도전을 한 후에 실패한다면 문제가 아니다

페이스 북 COO 인 셰릴 샌드버그가 구글 재적시 NPO에 관한 광고 프로젝트에서 크게 실패했을 때, 페이지가 이 말을 했다고 한다. 도전하는 것에 중점을 두는 구글은 구글+ 와 구글 리더, URL 단축 도구 등 철수한 서비스도 적지 않다. 다양한 서비스 출시를 계속하는 구글에게 마이크로 소프트 전 CEO 스티브 발머는 "공만 많이 던지고 있지만 벽에 맞은 것은 단 1구가 아닌가"라고 비판했다. 또한 스티브 잡스도 "너희들은 손을 지나치게 확대한다"고 주의를 주었다. 그러나 페이지는 자신의 신념을 관철 오늘의 성공을 손에 넣었다.

4. 혁신은 작은 그룹에서 일어난다

혁신을 일으킬 것을 중시하고 있다. 페이지는 관료적인 조직을 싫어한다. 2011 년에 CEO로 복귀한 후에는 조직 개편에도 손을 대어 관리직인 관리자를 제거하고 엔지니어의 재량권을 확대하는 방향으로 방향을 돌린다.

5. 꿈을 갖는다면, 최고 야심찬 것이 좋다. 그쪽이 앞으로 나아가게 하기 때문이다

페이지는 꿈에서 본 '웹 전체 다운로드하여 링크 기록을 보관할 것'이라는 생각을 브린과 함께 실현시켰다. 또한 구글의 모회사인 '알파벳' 산하에는 불로장생을 목표로 하는 Calico와 드론 배송 서비스 '프로젝트 윙 '등 야심 찬 프로젝트가 다수 있다. 알파벳의 CEO를 퇴임하고는 무대에 설 수 있는 기회는 적어졌지만 '하늘을 나는 자동차'를 개발하는 벤처 기업 '키티호크 '에 대한 투자 등 혁신을 일으키는 활동은 줄지 않는다. 페이지의 일거수 일투족은 앞으로도 사람들의 관심을 끌 것이다.

CHAPTER 7

관계 · 행복

82. 어드바이스는 어떤 것이든 간결하게 하라

- 호레이스 윌슨 -

호레이스 윌슨은 미국의 영어교사로 메이지 시대에 지금의 동경대학의 전신인 제1번 중학에서 영어를 가르친 인물이다. 그가 학생들에게 야구를 가르친 것이 일본 야구의 시초로 10년 전 그 공로로 야구의 전당에 헌액되기도 하였다.

이 명언은 조언에 대한 것이다. Blind spots(맹점 영역)은 시세포가 없어 빛을 느끼지 못하는 영역을 말한다. 심리학이나 교육학에서 널리 알려진 조해리의 창의 4가지 중의 하나로 '남은 알고 자기는 모르는 영역'을 맹점 영역(Blind spots)이라고 한다. 맹점 영역은 타인에게 피드백을 받음으로써 알 수 있는 영역이지만 이해의 부족보다는 자신이 좋아하지 않는 견해나 의견을 받아들이지 않아 자신의 능력이나 이해의 확장을 원치 않기 때문에 좁혀지지 않는 부분이다.

맹점 영역의 존재는 그만큼 타인에게 하는 피드백이나 조언이 어렵다는 방증이기도 하며 한편으로는 우리가 어떻게 조언을 해야하는가를 알려주기도 한다.

조언이나 피드백이 어려운 이유는 바로 상대가 감정을 가지고 있는 인간이기 때문이다. 어떤 사람도 아무리 좋은 의미의 조언이라도 감정을 해치면서까지 듣고 싶어하지는 않는 법이다. 그러므로 좋은 어드바이스를 하는 사람은 상대의 감정을 헤아려가면서 언제 말할 것인가 어떻게 전달할 것인가에 대해 깊이 생각하면서 남을 배려해 주는 깊은 통찰력을 갖고 있는 사람이다

경청기법에는 조언에 대해 잘 설명해 주고 있다. 경청기법에서 조언은 적극기법 중의 하나로 가능하면 상대방이 해주기를 원하거나 상대방과의 라포(rapport, 친밀감, 마음의 유대)가 형성되었을 때 한해서 아주 간단하게 간결하게 하라고 설명하고 있다. 원래부터 사람은 듣기보다 말하기를 좋아하는 천성을 가지고 있기 때문이다. 그러니 아무리 좋은 조언이라도 가능하면 상대방이 조언을 원하거나 사전에 상대방의 이야기를 충분히 경청해서 서로 간에 친밀감이 생겼을 때 한해서 그것도 길게 이야기하는 것보다는 핵심만 간결하게 하는 것이 성공적인 어드바이스를 하는 길이며 우리가 가진 맹점 영역을 넓히는 길이다.

83. 마음은 올바른 목표를 잃으면 잘못된 목표로 배출구를 돌린다

- 미셸 드 몽테뉴-

몽테뉴는 16세기 르네상스 시대의 대표적인 프랑스의 철학가이자 사상가. 사람의 가치관이나 사회의 질서가 뿌리채 흔들렸던 격동의 시대를 살았던 그가 현실의 인간을 통찰하고 인간의 삶의 방식을 탐구하여 정리한 수상록은 각국에 큰 영향을 끼쳤으며 올바른 판단기준을 우리에게 제시하고 있다.

이 명언에서 그가 말하는 올바른 목표는 무엇일까? 수상록에서 나타나는 그의 사상 속에서 그가 말하는 올바른 목표란 '**남의 평가를 의식하지 않는 바로 자기다운 목표를 지칭하는 것이다**. 그는 우리들에게 측은

하다는 듯이 충고하고 있다.

" 도대체 왜 사람들의 평가에 신경 쓴단 말인가. 나를 비웃을 것 같은 사람들을 하나하나 떠올려 보라. 과연 그들은 존경할 만한 인물들인가? 대개는 비꼬는 말로 내 마음에 상처만 안기는 삐딱이들일 뿐이다. 그들의 눈은 질투와 콤플렉스로 빤짝빤짝 빛난다. 당신은 그들을 별로 좋아하지 않는다. 그럼에도 그대는 왜 사랑하지도 않는 이들에게 인정받으려고 아득바득하는가. "[81]

그는 세상에서 제일 중요한 것은 어떻게 하면 정말 내가 나다워질 수 있는지를 아는 것이라고 강조한다. 올바른 목표를 세울 수 있는 사람은 자기답게 산다는 것이 무엇인지 아는 사람이다. 자신은 최종적으로 어떤 사람이 되고 싶은가. 그러기 위해서는 무엇을 해야 하는가 자기 자신을 돌아보며 세운 목표가 올바른 목표다.
자기다운 목표를 가지고 있는 사람은 세상 평가에 휘둘리지 않는다. 반면, 남에게 인정받는 데 삶의 목적을 두는 사람은 세상의 시선에 대한 두려움에서 영영 벗어나지 못해 잘못된 목표를 세우기 쉽다. 그가 특히 강조하는 것은 만약 올바른 목표가 없으면 목표가 없는 게 문제가 아니고 자신이 정말 하고 싶은 목표가 아닌데도 주변에 휘둘려서 별 볼 일 없는 목표 달성에 매달리면서 사는 것이다
잘못된 목표가 우리를 負의 스파이럴로 빠져 버리게 하는 인생을 살게 된다고 경고한다.

81) 수상록에서

"성(城)을 공격하여 돌파한다,

사절로서 외국에 나가서 담판한다,

한 국민을 통치한다 하는 것은 찬란한 행동이다.

(하지만) 자기 식구들과 자기 자신을 부드럽고

올바르게 꾸지람하고, 웃으며, 팔고 사며,

사랑하고, 미워하며, 교섭하고, 되는 대로 일하지 않고,

자기 말을 어기지 않는 것,

이런 일은 그리 드러나 보이지 않지만

더 드물고 어렵다."[82]

남들에게 자신이 얼마나 그럴싸하게 보이는지에 신경 쓰는 삶을 사는 것보다 일상 속에서 따뜻하고 배려심 깊은 사람이 되기 위해 노력하는 것이 훨씬 더 힘들고 어렵다는 멧세지가 400년 지난 우리들에게 생생하게 다가온다.

"나는 젊어서는 남들에 자랑하려고 공부했다. 그 뒤에는 나를 만족시키기 위해서 했다. 지금은 재미로 공부한다."는 몽테뉴의 충고는 올바른 목표와 잘못된 목표를 구분하는 혜안을 주고 있다

82) 전게서

84. 겸허함은 자신의 장점을 정당하게 평가하는 것이며 장점을 부정하는 것이 아니다

-사무엘 스마일즈-

자신의 대표작 『자조론(自助論)』의 첫 페이지에 소개한 '하늘은 스스로 돕는 자를 돕는다'는 격언처럼 '인생은 자기 손으로만 열 수 있다"는 개인 개혁'의 중요성을 강조하는 '자조'(self-helf)의 정신을 설파한 영국 저술가이자 사회 개량가이며 의사인 사무엘 스마일즈. '세상의 누구도 자신의 삶을 대신해줄 수 없으며, 바로 자신만이 본인의 인생을 개척하고 희망의 문을 열 수 있다'는 자조의 정신을 담은 『자조론(自助論)』은 1859년 출간된 이래 세계적인 베스트 셀러이자 불후의 명작이다. 그가

말한 겸허는 사려 깊게 사양하며 타인의 의견을 솔직하게 받아들이는 것으로 절대로 필요한 美德이다. 아무리 수양을 한 사람이라도 자기에 대해 이야기할 때는 자신을 앞에 내세우기 쉽다. 이처럼 겸허하기가 어렵기 때문에 우리는 겸허한 사람을 높이 사고 있다. 그러나 겸허라는 단어에 대해 균형감각을 가질 필요가 있다. 겸허는 자신을 비하(卑下)하는 것과는 근본적으로 다르다. 지나치게 겸허한 나머지 자신의 장점을 칭찬하는데도 전적으로 부정하는 사람을 주변에서 심심치 않게 본다. 칭찬하는 말 중에는 겉치레로 하는 경우도 없지 않지만 정말로 당신의 장점을 칭찬하는 사람도 있다. 당신이 그 말을 전적으로 부정한다면, 당신 자신을 물론 당신을 칭찬하려던 사람도 머쓱해지기 마련이다.
이 세상을 마지막까지 같이 항해해야 하는 자기 자신에 대해 스스로가 정당하게 평가해주고 칭찬해 주어도 될 법 아닌가. 앞으로 더욱 향상하는 자신을 위해서라도 자기 자신을 솔직하게 칭찬해 주는 것도 나쁘지 않을 것 같다. 평소 '잘했다', '대단하다' 하는 식으로 스스로에게 affirmation을 해주어 자신의 인생에서의 즐거움을 선사해주는 것이 좋겠다. 이제부터라도 타인이 자신의 장점을 칭찬해 주면 그 사람이 겉치레로 말하든 진정으로 말하든 간에 솔직하게 "감사합니다"라고 답하면 될 일이다. 상대방을 칭찬했는데 탐탁치 않은 반응을 보이면 누구나 좋은 기분이 들지는 않을 것이다. 반면 칭찬에 대해 감사를 전하고 더욱 분발하는 사람은 누구나 다 응원하고 싶어질 것이다. '자신에 대해 최고의 원조자(援助者)가 되라'는 사무엘 스마일즈의 충고가 가슴에 저린다. 당신은 자신의 장점에 대해 다른 사람에게 당당하게 내세우고 있습니까? 아니면 당신은 겸허한 나머지 자신의 장점을 부정하지는 않습니까?

85. 질투심이란 극히 모자라는 능력에 맞춰 조절한 경쟁심

- 앰브로스 비어스 -

앰브로스 비어스(Ambrose Gwinnett Bierce)는 미국의 사설작가, 언론인, 단편소설작가, 우화작가, 풍자작가이다. '문제될 것 없다'를 모토로 내세운 맹렬한 평론과 작품 근간에 깔려 있는 인간 본성에 대한 냉소적 관점으로 인해 '신랄한 비어스'(Bitter Bierce)라는 별명을 얻었다. 풍자적 어휘사전 『악마의 사전』으로 유명하다.

이 명언은 그의 대표작 『악마의 사전』에서 인용한 것이다. 제2의 에드가 알렌 포라는 평을 듣기도 했던 『악마의 사전』은 그가 1881년부터 1906년까지 신문 잡지에 발표한 잠언이나 경구를 사전 형식을 빌어 친숙한 용어에 대한 기존의 의미를 풍자와 함께 신랄하게 비판하면서 재정의한 책으로 사전 패러디의 원조적 존재라고 한다.

예를 들면

우정(friendship) : 날씨가 좋은 날은 두 명이, 하지만 날씨가 나쁜 날은 한 명 밖에는 탈 수 없는 배(ship).

행복(Happiness)= 타인의 불행을 생각하면 생기는 기분 좋은 느낌.

성공(Success)= 동료에게 용서받을 수 없는 죄.

국회(Congress)= 법률을 무효로 만들기 위해 회합하는 사람들의 집합.

장관(Minister)= 상당히 큰 권한을 갖지만 책임은 비교적 가벼운 공무원

우리나라는 뒤늦게 2006년 되어서야 번역되어 나왔는데 아마도 번역이 용이하지 않았을 것으로 생각된다.

질투(嫉妬, 영어: Jealousy)란 일반적으로 잃게 될 것, 또는 개인이 가치 있게 생각하는 것(특히 인간 관계의 영역)을 잃게 될 것이라는 생각으로부터 오는 우려나 두려움, 불안이라는 부정적인 사고와 감정에 관련된 말이다. 이를 '극히 모자라는 능력에 맞춰 조절한 경쟁심' 라고 하면서 '질투하는 것은 원래부터 능력이 모자란다'고 하는 독설가 비어스의 정의는 마음속에서 폭주하고 있는 질투심에 브레이크를 거는 명언이 아닐 수 없다

질투심은 서양에서는 녹색으로 표현한다고 한다. 영어로 green-eyed라고 하면 '녹색의 눈'이라는 의미 이외에 '질투심 많은'의 의미로 쓰여진다. 미국지폐의 뒷면이 녹색으로 되어 있어 green-back라고도 하는 것도 수입이나 재산을 둘러싸고 질투심이 생기는 것을 자폐의 녹색으로

암시한 것이라고 한다. 83)

옆집 잔디가 더 파랗다는 실은 영어 속담에서 따온거다. ‘The grass is always greener on the other side of the fence.’ 인데 여기서 잔디는 녹색인 것도 같은 질투심에서 유래했음을 알 수 있다. 우리나라 속담에 '남의 떡이 커 보인다. ‘사촌이 땅을 사면 배가 아프다. '는 말을 보면 특별히 이유가 있는 것은 아니다.

세익스피어에 잘 나타나고 있다.

. '이유가 있어서 질투하는 것이 아니라 질투하기 때문에 질투할 뿐’84)

얼마 전 동창을 만난 자리에서 한 친구가 몇 시간 동안이나 자기아들 자랑을 하는 통에 꿀 먹은 벙어리처럼 듣고만 있다가 집에 들어와 아내에게 그 이야기를 해주었더니 그 사람이 당신 질투하는 것 아니야? 하는 바람에 문득 악마의 사전의 저자 비어스의 질투심의 정의가 생각났다.

질투심이란 극히 모자라는 능력에 맞춰 조절한 경쟁심

질투심을 '극히 모자라는 능력에 맞춰 조절한 경쟁심‘이라고 하면서 '질투하는 것은 원래부터 능력이 모자란다'고 하는 독설가 비어스의 정의는 마음 속에서 폭주하고 있는 질투심에 브레이크를 거는 명언이 아닐 수 없다

83) 竹内正明 명언집
84) 오셀로에서 에밀리아

86. 사람을 가장 감동시키는 말은 그의 가슴속에서 우러나오는 말이다

- 요한 볼프강 폰 괴테 -

요한 볼프강 괴테.의 파우스트 제1부 夜에 나오는 파우스트의 독백이다

" 자신이 실감이 없으면 사람을 휘어잡을 수 없는 법이다. 가슴 속에서 뿜어나와 듣고 있는 모든 이들의 마음을 한결같은 감동으로 이끌어 가지 않으면 안 된다"

사람들을 움직이는 힘은 감정의 힘에 있다고 한다. 왜냐하면 사람은 원래 감정의 동물로서 무언가를 결정할 때에는 최종적으로 감정의 자극을 통해서 행동 여부를 결정하기 때문이다.

상대방의 감정을 움직이기 위해서는 감춤이 없어야 한다. 말하는 것과 본심이 다르면 그것은 반드시 표정이나 태도에서 나타나기 마련이다. 상대방에게 솔직하게 자신이 있는 그대로 일치하고 있는 상태를 자기일치라고 한다. 자신의 겉과 속이 투명하여 어디에서 보든 일치하는 상태를 말한다. 또한 자기일치는 자신의 입장에서 상대에게 다가가는 것이 아니라 상대의 입장에서 다가가는 것이다. 어디까지나 상대방의 배에 올라타서 상대방의 목적지로 안전하게 항해할 수 있도록 안내하는 마음으로 다가가지 않으면 상대방의 감동을 이끌어낼 수 없는 법이다.

당신은 상대에게 자기일치의 상태로 접하고 있습니까?
그렇다면 당신은 상대의 마음을 움직일 수 있습니다.

87. 존경하는 마음이 없으면 진정한 사랑이 될 수 없다

- 요한 고틀리프 피히테 -

과연 독일의 위대한 정치학자의 명언답다. '독일 국민에게 고함'이라는 강연에서 국민으로서의 자긍심과 명예를 강조했던 그이기에 진정한 사랑 또한 자긍심과 가치있는 것이 되어야 한다는 의미로 보여진다. 특히 그는 사랑에 있어서 존경을 강조하고 있다. 존중, 존경의 의미의 respect의 어원은 re(=again) + spec (=see)로 존경하는 사람을 뒤에 두고 다시 본다'는 의미인데, 사전에 의하면 남의 인격, 사상, 행위 따위를 받들어 공경하는 것을 의미하고 있다. 그럼에도 우리는 사랑을 거래나 사업쯤으로 오해하거나 사랑하는 사람을 소유한다고 생각하는 경향이 있음을 부인할 수 없다. 사전에 사랑은 ' 우정의 요소에 열정과 돌봄이 포함될 때 사랑이 된다'고 하는데 여기에 피히테가 이야기하는 '존경하는 마음을' 보충해야 할 것 같다.

"우리는 사랑이 어떻게 시작하는 지에 대해서는 과하게 많이 알고, 사랑이 어떻게 계속될 수 있는지에 대해서는 무모하리만치 아는 게 없는 듯하다."[85]

에리히 프롬이 '사랑한다는 것'에서 사랑하는 것은 기술이라며 "사랑은 받는 것이 아니고 주는 것이고, 피동적 감정이 아닌 활동적인 것이라고 하고, 사랑이란 자신 안에 살아있는 모든 것들을 상대방에게 줌으로써 상대방의 생활을 풍요롭게 만들어 자신이 살아있음을 느끼는 행위 "라고 하였다. 그 요소로는 [배려], [책임] [존경] [知] 라고 하면서 존경을 포함하고 있다

배려 ... 꽃을 좋아한다고 말하고 있어도 물을 잊어서는 사랑하게 되지 않는다.

책임 ... 자발적인 행위이며, 타인의 요구에 응할 용의가 있다는 것이다.

존경 ... 인간의 있는 그대로의 모습을 보고 / 그 사람이 유일한 존재임을 아는 능력 / 다른 사람이 그 사람답게 성장 발전해 나갈 수 있도록 염려하는 것이다.

지 .... 사람을 존중하려면 그 사람을 알아야 한다. 그 사람에 대한 지식에 의해 인도되지 않으면 배려도 책임도 추측에 끝나 버린다. 자신에 대한 관심을 초월하여 상대의 입장에 서서 그 사람을 볼 수 있을 때 비로소 그 사람을 알 수 있다. 이 이야기 속에서도 '존경'이라는 말이 중심적 존재가 되어 있음을 알 수 있다.

---

85) '낭만적 연애와 그 후의 일상', 알랭 드 보통 저

88. 친구는 행복할 때가 아니라 곤경에 처했을 때 사랑을 나타낸다

-에우리피데스-

에우리피데스는 고대 아테네에서 활동한, 아이스킬로스, 소포클레스와 더불어 가장 뛰어나다고 평가받는 비극 시인이다. 에우리피데스는 "친구는 행복할 때가 아니라 곤경에 처했을 때 사랑을 나타낸다"는 말로 진정한 우정의 본질을 묘사하고 있다. 이 통찰력 있는 말은 진실하고 지속적인 우정의 척도는 단지 즐거운 순간을 함께 나누는 것만이 아니라 어려운 시기에 제공되는 지원과 보살핌이라는 것을 상기시켜 준다. 그것은 인생이 불행한 방향으로 흘러갈 때 곁에 있어 주고 가장 필요할 때 위안과 도움의 손길을 내미는 친구가 있다는 것의 중요성을 강조한다.

이 명언은 우정에 대한 우리의 이해를 재정의해 주고 있다. 우리는 친구들에게 갚을 가능성이 가장 낮을 때 친구들의 도움을 가장 필요로 한다. 다시 말해, 우리가 아프거나, 슬프거나, 파산했을 때, 그때가 바로 친구가 필요할 때인데, 그런 상태에 있다는 것은 우리가 은혜를 갚을 능력이 가장 적다는 것을 의미한다. 이것은 우리의 친구들이 우리가 가장 필요로 할 때 우리를 버리는 불행한 동기를 만든다. 우리는 그들을 '맑은 날씨의 친구'라고 부른다. 우리가 아프거나, 우울하거나, 직장을 잃었을 때 사라졌다가 정상으로 돌아왔을 때 다시 나타나는 사람들이다. 진정한 친구는 삶이 어둡고 혼란스러울 때 부끄러워하지 않고 오히려 우리 곁에 서서 변함없는 지지와 사랑을 제공하는 사람들이다.
저명한 스토아 철학자인 에픽테토스는 '진정한 우정은 쾌락이나 유용성에 근거한 것이 아니라 도덕적 탁월성을 함께 추구하는 것에 근거해야 한다'고 주장했다. 이러한 관점에서 우리는 에우리피데스의 명언이 우정에 대한 스토아학파의 생각을 반영하는 것으로 볼 수 있다. 고난의 시기, 참된 친구는 단지 우리의 고통을 덜어주기 위해서가 아니라 우리의 덕성을 격려하고 강화하기 위해 곁에 있다. 곤경에 처했을 때 사랑을 보이는 친구는 위로를 줄 뿐만 아니라 도덕적 탁월함을 향한 우리의 여정에도 도움을 준다. 우정을 행복한 순간하고만 연관 짓고 싶은 유혹이 들 수도 있지만, 진정한 유대감은 고난을 함께 겪을 때 형성된다는 점을 기억해야 한다. 어려운 시기에는 진정한 친구가 변함없는 지원과 충성을 보여줄 수 있다. 고난의 순간에 우리는 가장 취약하며, 바로 이런 순간에 우정의 힘이 온전히 드러나는 것이다. 진정한 친구는 우리 곁에 서서 귀 기울여 듣고, 인도해 주고, 우리가 기댈 수 있는 어깨를 내밀어

준다.

 더욱이 에우리피데스의 명언은 행복 자체의 본질에 의문을 제기한다. 행복이 우정의 가치를 가늠하는 유일한 척도가 되어야 하는가, 아니면 우정의 진정한 본질은 폭풍우를 함께 헤쳐나가는 능력에서 찾아야 하는가? 어쩌면 진정한 친구는 고난의 시기에 흔들리지 않고 곁에 있어 주고 지지해 줌으로써 우리가 위안을 찾고 궁극적으로는 진정한 행복을 찾도록 도와주는 사람들일 것이다. 결론적으로, 에우리피데스의 명언은 우정의 진정한 가치는 행복의 순간에 있는 것이 아니라 삶이 힘들 때 제공되는 변함없는 지원과 사랑에 있음을 상기시켜 준다. 그러므로 힘든 일이 닥쳤을 때 우리에게 사랑을 보여주는 참된 친구들을 소중히 여기도록 합시다.

89. 우리는 행복해지기 위해서라기 보다 행복해 보이기 위해 더욱 애를 쓴다

- 라 로슈푸코 -

17세기 프랑스의 귀족 출신 작가이자 모랄리스트 라 로슈코포. 그는 공작 가문의 장남으로 파리에서 출생하였다. 군 복무를 마친 후 루이 13세와 왕비의 신임을 받아 궁정에 들어갔지만 왕비파인 세르비즈 공작부인의 음모에 가담하여 감옥에 갇혔다. 프롱드 내전(17세기 프랑스에서 일어난 귀족의 반란)에서는 반란군의 지휘를 맡고 싸웠다.

그 후 정치적 야심을 버리고 『회고록』『잠언집』『성찰』등을 집필하였다. 특유의 예리한 통찰력과 농후한 페시미즘에 의해서 인간 심리의 심층에 담긴 '자기애(自己愛)'를 예리하게 그려낸『箴言集』초판은 1665년에 간행. 생전에 5판을 거듭하고, 오늘날 읽히는 것은 사후판 (死後版:제6판)이다. 저자의 근본 사상은 제4판 속표지 책 이름 밑에 표어로 덧붙인 '우리의 미덕(美德)은 대개의 경우 위장된 악덕에 지나지 않는다.'라는 한 격언 속에 집약되었다.[86]

' 우리는 행복해지기 위해서라기보다 행복해 보이기 위해 더욱 애를 쓴다"는 명언은 잠언집 3-42에 소개된 말이다

질문을 하나 하겠다.

철수는 연봉이 5,000만 원이다.

민수는 연봉이 4,000만 원이다.

단순히 연봉만으로 볼 때 철수와 민수 중 누가 더 행복할까? 연봉을 제외한 모든 조건이 같다면 철수보다 민수가 더 행복할 것이다. 하지만 철수의 연봉은 작년 6,000만 원에서 올해 5,000만 원으로 삭감된 것이고 민수의 연봉은 3,000만 원에서 4,000만 원으로 오른 상황이라면 주관적으로 느끼는 행복감은 민수가 더 높다. 이처럼 행복은 객관적이라기 보다 주관적 개념이다.

이를 주관적 안녕감(subjective well-being)이라고 하며 이를 정의한 사람이 세계적인 심리학자로 행복학에 있어서의 찰스 다아윈에 비교되는 일리노이 대학의 에드 디너 (Ed Diener)명예교수이다. 그는 세계 150개국의 행복지수를 조사했는데 Affect Balance(긍정적 감정-부정적감정)지

86) 인용: 잠언과 성찰, 해누리

수에서 우리나라는 소득상위 40개 국중 39위에 해당되었다고 한다. 그는 우리나라가 낮게 나온 이유로 돈을 너무 중시해서 사회적 관계를 희생시키는 것, 그리고 다른 사람들이 자기를 어떻게 생각하는지에 너무 신경을 쓴다는 것이다. 그래서 한국인들은 항상 비교하고 경쟁한다는 것이다

소비자 심리학으로 우리에게 잘 알려진 김난도 교수도

"내가 아무리 많이 가지고 있어도 바로 옆에 나보다 훨씬 많은 소비물을 가지고 있는 사람을 보면 나는 아직 행복하지 않다는 느낌이 들기 때문에 핵심적인 동인은 타인에게 있다"는 것이다. " 내가 남에게 어떻게 보일까가 굉장히 중요한 요소이지요. 늘 남은 나를 어떻게 보있나하고 비교하고 비교당하면 항상 만성적인 박탈감, 공허감에 시달릴 수 있다"고 경고한다

"행복은 취향에 있는 것이지 사물에 있는 것이 아니다. 내가 좋아하는 것을 손에 넣으면 그것으로 행복한 것이지, 다른 사람 눈에 좋아 보이는 것을 손에 넣었다고 행복해지는 것은 아니다" 87)

---

87) 라 로슈푸코, 잠언집 3-1

90. 지나가고 끝나버린 불행한 일 슬퍼함은 더욱 많은 불행들을 불러오는 길이 된다오

- 윌리엄 세익스피어 -

"그 때 이렇게 했더라면 내 인생은 좋아졌을 텐데"
"그 때 그렇게 말을 하지 않았더라면 이런 일은 없었을 텐데"
라고 후회하는 사람들이 많다.
과거를 몇 번이고 곱 씹으며 후회하는 것이다. 원래 사람은 대뇌가 다른 동물에 비해 발달해서 고도의 기억력을 갖고 있다고 한다. 그래서 잊고 싶어도 잘 잊혀지지 않으면서 그 때 그랬더라면~~ 하는 식으로 쓸데없는 한탄만 하는 경우를 많이 본다. 오지랖이 넓은 사람은 다른 사람의 이야기를 하면서 그 때 당신이 그랬더라면 하고 안타까워하기도 한다.

이 명언은 세익스피어 4대 비극 중의 하나인 오셀로의 1막 3장에 나오는 대사로 자신의 딸 데스데모나가 오셀로와 결혼하는 것을 반대하는 아버지 브라반티오가 자신이 오셀로를 집에 초대해서 자신의 딸과 만나게 한 것을 후회하자 베니스 공작이 한 말이다.

치유책이 없을 때는 최악 사태 봄으로써
희망 뒤에 매달렸던 슬픔들이 끝나는 법.
지나가고 끝나버린 불행한 일 슬퍼함은
더욱 많은 불행들을 불러오는 길이 된다오
운명 여신 앗아갈 때 지킬 수가 없는 것은
그 손해를 참으면서 그 여신을 조롱하며
빼앗기고 웃는 자는 강도 것을 되 훔치고
쓸데없이 슬픈 자는 그 자신을 잃는다오[88]

어차피 지나간 것을 후회하고 한탄한들 침울해질 뿐이다. 시간 낭비일 뿐이다. 차라리 '지금 할 수 있는 것'을 하는 것이 상책이다. 당신의 주위에도 지나 버린 사건에 대해 '언제까지 후회하고 있는 사람'이 있지는 않은지. 후회해도 과거가 바뀌는 것은 없고, 아무런 해결도 되지 않는다. 오히려 '후회하는 시간'을 낭비하다가, 주위의 사람 기분을 우울하게 만들어서 괜히 '소중한 친구'를 잃을 수 있다.

---

88)오셀로 1막3장 202-210행

결국은 앞을 향해 '지금 할 수 있는 것'을 한껏 할 수 밖에 없다.
당나라 시인으로 이상은(李商隱:812~858)이라는 인물이 있었다. 정쟁에 휘말려 결국은 하급관료로 전국 각지를 전전하면서 생애를 마친 인물이다. 그가 여행 중에 길이 갈라지는 교차로에서 흑흑 울고 있었다. 이를 본 지나가던 동네 어른이 왜 우는가 물어보았다. 그랬더니 그가 대답하길 " 앞에 길이 두 갈래가 나 있는데 한쪽을 선택하면 한쪽을 버리는 것이니 한쪽 길을 선택하면 나머지 길은 평생 갈 수 없지 않소. 그것이 슬퍼서 울고 있소"라고 대답했다고 한다.
인생이 바로 이 우화와 같을 것이다
A 나 B 중에서 헤매는 것이 인생이다. A를 선택하면 B를 선택한 인생은 존재하지 않는 거다. 후에 그 때 B를 선택했더라면 하고 후회하는 것은 있을 수 없는 세상을 꿈꾸는 무의미한 일이다. 그럴 시간이 있으면 A를 선택한 것이 B를 선택한 것보다 낫도록 노력할 일이다. 미래를 예측하는 가장 좋은 방법은 미래를 자신이 생각하는 대로 만드는 것이다. 세상 일이라는 것 어떤 것이든 3년 정도 노력하면 어느 정도 솜씨 있게 되기 마련이다. 이제 와서.... 나이가 들어서... 하고 후회하느니 시간만 아까울 뿐이다. 후회하는 그 일을 지금 즉시 하라.

내일 미루면 하루가 지나간다.
오늘이 당신이 가장 젊은 날이니까.

91. 여기 들어오는 자 모든 희망을 버릴지어다

- 단테 알리기에리 -

세계문학을 이야기할 때 빠지지 않고 등장하는 단테의 신곡 지옥편에 나오는 글이다.
단테는 이탈리아의 피렌체에서 명문가에서 태어나 어린 시절 부모를 잃고 가장 노릇을 하면서도 30대에 높은 공직까지 오른 인물로 정쟁에 의해 피렌체에서 추방당하여 지방을 방랑하면서 이 책을 구상하고 집필한다. 한마디로 단테는 좌천(左遷)된 사람으로 지난 삶에 대한 회한과 억울함(?)이 내용에 들어있다. 인간적으로 지극히 공감이 간다. 자신을 궁지에 몰아넣은 인물들은 죄다 지옥에 떨어뜨려 놓았으니 말이다.
책의 첫 문장은 이렇게 시작된다.

"우리 인생길의 한중간에서[89] 나는 올바른 길을 잃어버렸기에

어두운 숲 속에서 헤매고 있었다" 90)

인생의 절정에서 좌천으로 인해 나락으로 떨어진 단테의 회한이 짙게 묻어나는 문장이다. 이어서 다음과 같이 묘사한다.

아, 얼마나 거칠고 황량하고 험한 숲이었는지
말하기 힘든 일이니 생각만 해도 두려움이 되살아난다!

좌천된 사람의 두려움을 적나라하게 묘사하고 있다.
"여기 들어 오는 자 모든 희망을 버릴지어다." 이 글은 136행으로 구성된 지옥편 지옥 3곡의 첫 문장에 나온다. 짙은 숲속에서 길을 잃고 맹수들 앞에 가로막힌 단테 앞에 그의 스승이었던 베르길리우스가 돌연 나타나 그를 이끌고 안내하기 시작한다. 이곳을 벗어나려면 지옥을 경유해야 된다는 그럴듯한 말로 앞에서 말한 무시무시한 문구가 쓰여있는 지옥문 앞으로 들어간다. 전후 문장은 다음과 같다.

나를 거쳐 고통의 도시로 들어가고,
나를 거쳐 영원한 고통으로 들어가고,
나를 거쳐 길 잃은 무리 속에 들어가노라.
정의는 높으신 내 창조주를 움직여,
성스러운 힘과 최고의 지혜,
최초의 사랑이 나를 만드셨노라.

---

89) 1300년 봄 35세. 단테는 인생을 70으로 보았음
90) 신곡, 지옥편

내 앞에 창조된 것은 영원한 것들뿐,

나는 영원히 지속되니,

여기 들어오는자 모든 희망을 버릴지어다. [91]

이처럼 지옥문으로 들어가기 위해서는 '희망'을 버리라고 한다. 결국 지옥이란 일체의 바람, 희망이 없는 곳이라는 해석이 된다. 소유진씨는 희망에 대해서 다음과 같이 이야기하고 있다.

" 단테는 지옥이란 희망이 전혀 없는 절망의 장소로 이야기하고 있습니다. 그런데 그 지옥은 우리가 사는 같은 평면에 존재하지요. 따라서, 우리가 이 세상에서 완전한 절망은 아니더라도 희망을 잃어버리는 일이 있다면, 그것만으로도 지옥에 가까이 다가서는 셈입니다. 만약 완전히 절망한다면 살아 있어도 지옥에 이르는 것입니다. 결국 이 세상에 사는 우리가 정말로 절망한다면 그것이 바로 생지옥이라고 말할 수 있게 됩니다. (중략).....절망하지 마세요..절망하는 순간 당신은 지옥으로 들어가는 겁니다. '희망'을 가지세요. '희망'을 버리는 순간 당신은 지옥으로 들어가는 겁니다.. "[92]

단테 지옥편의 마지막 문장은 이렇게 끝난다.

우리는 밖으로 나와 별들을 보았다[93]

---

91) 지옥3곡 1행 - 9행
92) 출처 : 인천in 시민의 손으로 만드는 인터넷신문
93) 지옥편 34곡 139행

92. 우리는 모두 행복한 삶을 살고 싶어 한다

- 안네 프랭크 -

전문은 다음과 같다.

> 우리는 모두 행복한 삶을 살고 싶어 한다. 사는 모습은 달라도 행복해지기를 원하는 것은 누구나 마찬가지다.

『안네의 일기』는 안네 프랭크가 아버지에게 13세 생일 축하 선물로 받은 일기장에, 2년 동안 숨어 지내면서 일어난 일들을 기록한 것으로 사춘기 소녀의 성장 과정과 곤경 속에서도 꺾이지 않는 용기를 잘 표현하고 있다. 은신처에 버려져 있던 『안네의 일기』는 이들의 은신 생활을 도와주던 지인에 의해 보존되어 가족 중 유일하게 생존한 아버지에게 전해졌다.

부친은 전쟁과 차별이 없는 세상을 꿈꾼 딸의 정신을 알리고자 출판을 결심하는데 『안네의 일기』는 네덜란드어로 출판된 후 전 세계로부터 호응을 얻어 무려 55개국에서 2,500만 부가 판매되는 등 베스트셀러가 되어 많은 사람들에게 감동과 용기를 주었다. 2009년에는 세상에서 가장 많이 읽힌 책 10권 중 하나로 선정되어 세계기록유산으로 등재되었다. 안네는 "생일날 테이블 위에 놓여 있는 당신을 보았다"고 일기장에 적어놓았다. 이처럼 그녀에게 일기장은 자신의 모든 비밀을 털어놓을 수 있는 마음의 안식처이자 살아가는 원동력이 되었다. "당신에게라면 아무에게도 말하지 못한 내 마음속의 비밀들을 다 털어놓을 수 있을 것 같아요. 제발 내 마음의 지주가 되어 나를 격려해 주세요"로 일기장을 '키티'라고 의인화하여 마치 사람에게 편지를 쓰듯 일기를 적어 나갔다.

그녀는 일기에서 은신처의 갑갑한 생활을 하고 있는 자신을 '날개가 부러진 작은 새가 암흑 속에서 파닥파닥거리며 농(籠)에 부딪치는 모습'으로 묘사하였는데 그런 고독한 자신이 누구인가를 탐구하면서 성장해 나간다. 마지막 순간까지 사람을 믿고 희망을 잃지 않았기에 안네는 엄청난 비극적인 환경에서도 심신의 균형을 잃지 않았다.

"나는 이상을 버리지 않는다. 어떤 일이 일어나더라도
사람은 훌륭한 마음을 갖고 있다고 믿기 때문이다."

" 오늘 나는 행복한 사람이 될 것을 선택하겠다."

"희망이 있는 곳에 인생도 있다. 희망이 새로운 용기를 불러 일으켜 다시금 마음을 단단하게 해 준다."

"행복한 사람은 누구나 다른 사람을 행복하게 해준다"

93. 인간은 누군가가 죽을 때까지 행운이 있는 사람이라고 부를지언정 행복한 사람이라고 부르는 것은 삼가야 합니다.

- 헤로도토스 -

이 명언은 헤로도투스 『역사』에 나오는 크로이노스와 솔론의 행복 문답에 대해서다. 크로이소스는 기원전 560년부터 리디아의 마지막 왕이다. 크로이소스는 그 엄청난 부로도 잘 알려져 있었으며 그리스어와 페르시아어에서 '크로이소스'의 이름은 '부자'와 동의어가 되었다. 거기다 현대 유럽계 언어에서 '크로이소스'는 큰 부자의 대명사이고, 영어에서는 '크로이소스만큼이나 부유한'(rich as Croesus) 또는 '크로이소스보다 더 부자인' (richer than Croesus)라는 관용구가 있다. 또한 최초의 공인 통화 체계와 화폐제도를 발명한 것이 크로이소스라고 말하기도 한다.

당시 그리스의 현인들이 크로이소스를 자주 방문했는데 어느 날 아테네의 정치개혁자 솔론이 리디아의 수도 사르테이스를 방문하자 크로이소스는 자신의 막대한 부를 보여주고는 당신이 만난 사람 중에 가장 행복한 사람이 누구냐고 물었다. "당연히 당신입니다."라는 대답을 기대하면서 물어본 것이다. 이에 솔론은 크로이소스보다 먼저 죽어버린 아테나의 텔로스, 클레오비스와 비톤 형제가 더 행복한 사람이라고 주장하며, 그 이유로서 가장 훌륭한 죽음을 맞이한 사람들이라고 하였다. 그 대답을 듣고는 크로이노스는 크게 불만을 표시하였다. 누구보다도 부자이고 유명한 자신이 이름도 없는 부도 없는 사람들보다 행복하지 못하다는 평가를 받았기 때문이다. 그래서 크로이노스는 집요하게 캐물었다.

" 내 자신의 행복은 아무 가치도 없는 것인가?"

그에 대해 솔론은 이렇게 대답했다고 한다.

"인간의 일생이란 단 하루도 같은 일이 일어나는 일이 없고 그 생애 모든 것이 우연이다. 지금 운이 넘친다고 일생 지속될 것이라는 보장이 없다. 따라서 그 사람이 행복했는가 아닌가의 여부는 그가 끝나는 방식을 볼 때까지는 알 수 없다. 그렇기 때문에 인간이 죽을 때까지는 행운이 있는 사람이라고 부를지언정 행복한 사람이라고 부르는 것은 삼가해야 한다". 이들 두 사람의 대화를 행복 문답이라 한다. 실제로 크로이노스는 행운에서 멀어졌다. 사랑하는 자식을 잃고 페르시아 전에서 패배하여 나라를 잃고 만다. 전설에 따르면 크로이소스는 가족과 함께 키루스에 준비해둔 거대한 화장용 장작더미 위에 올라가 장작에 불이 붙여졌다. 이때 크로이소스는 이전 솔론이 말한 것을 상기했다. 그리고 크로이소스는 울면서 아폴론의 이름을 외치며 기원했다. 그러자 맑은 하늘에 구름이 모여 갑자기 폭우가 내리기 시작하면서 장작불을 껐다고 헤로도토스가 기록하고 있지만 시라쿠사 왕 히에론 1세 (Hiero I of Syracuse)의 기원전 468년 올림피아에서 전차경주에서 우승 축하를 위해 만들어진 바킬리데스의 송가에서는 크로이소스가 불에 휩싸이기 직전 아폴론에 의해 히페르보레이오스의 땅으로 끌려간 것으로 되어 있다. 이러한 행운으로 키루스에 의해 크로이소스는 목숨을 건지게 되었다.[94]인간의 행복은 죽을 때까지가 아니면 알 수 없다. 정수리를 찌르는 말이다. 그러면 어떤 죽음이 솔론이 이야기한 훌륭한 죽음의 방식일까. 그리고 행복한 삶일까? " 행복의 대부분은 우리가 처한 환경이 아니라 우리가 보는 관점에 달려 있다"고 마서 워싱톤이 말했듯이 훌륭한 죽음, 행복한 삶은 구체적으로는 각자 다를 수 밖에 없다. 다만 우리가 죽음을 맞이했을 때 "참 애썼다. 나름대로 충실한 삶이었다"라는 만족감을 가지고 죽음을 맞이할 수 있다면 참으로 행복한 삶을 살았다고 할 수 있지 않을까. 요즈음 자주 언급되는 '웰다잉(well-dying)'은 그런 죽음에 대한 진지한 성찰이다. 죽음에 대해서 생각하는 것은 삶의 유한성을 자각하고 성찰과 반성을 통해 현실의 삶을 건강하고 의미 있게 보내기 위함이다. 죽음을 앞두고 못다한 아쉬운 것들이나 후회할 것들이 많아 편안히 죽음을 맞이할 수 없다면 아무리 잘 살았다 하더라도 과연 그 사람은 잘 살았다고 할 수 없으니 웰다잉이야말로 웰빙의 시작이라 할 수 있다. 결국 웰다잉의 문제는 후회 없이 사는 삶 웰빙의 문제라 할 수 있다.

---

94) 위키피디아에서 인용

(명언 모음 7)
테슬러 CEO의 자신의 꿈을 쫓는 10가지 방법

-일론 머스크-

혁신가, Disruptor, 게임 체인저 —— 사람은 일론 머스크을 이렇게 부른다. 페이팔, 스페이스 X 테슬라를 창업한 이 남자를 다른 어떤 말로 표현할 수 있을까? 머스크에 있어서의 '사무실에서의 일상'은 테슬라 로드스터를 우주로 발사 지구 궤도에 올려놓는 것이나, 스페이스 X 50회째가 되는 로켓 발사를 성공시키는 것이다. 혁신적인 기업가를 목표로 하든 직장인이 되든 많은 사람들이 '리얼 아이언 맨'에게서 배울 점이 있다. 다음은 머스크가 자신의 꿈을 쫓는 10가지 방법을 소개한다.

1. 리드 (lead 주도)에 필요한 리드 (read 독서)

학교를 졸업해도 자기 교육을 멈출 필요는 없다. "자신이 무엇을 모르는지는 스스로는 모른다. 외부 세계에 자신이 모르는 것이 많이 있다는 것을 사람은 깨달아야 할 것"이라고 머스크는 말한다.
머스크는 어린 시절 브리태니커 백과사전을 독파했다고 한다. 이렇게, 당신과 내가 그림책을 읽고 있던 무렵, 그는 백과사전에 몰두하고 있었던 것이다. 이 습관은 어른이 되고 나서도 계속되었다.
어린 시절의 독서 습관을 동일하게 유지하는 사람이 있을까? 소셜 미디어에 올리거나 기사를 읽는 것과는 다르다. 책에 빠져드는 것으로 인해, 시야가 넓어지고 새로운 통찰력과 아이디어가 솟아오른다. 좋은 learner가 좋은 earner가 되는 것은 놀랄 일이 아니다.

2. 광고에 전체 예산을 쏟아 붓지마라

머스크는 광고 비용에 예산을 낭비하지 않는다. 대신 "이 지출은 상품과 서비스의 개선에 결부되는가?"라고 자문해 그 답이 '노'일 경우 그 지출은 종료한다. 마케터인 독자라면 귀가 아플 얘기다.
그러나 머스크가 말하려고 하는 것은 이해할 수 있다. 양질의 제품은 입소문으로 크게 확산. 우선 제품의 질을 높이는 데 전념하면 성공은 나중에 따라온다.

3. 젊을 때 위험을 감수하라

창업에 최적의 시기는 젊을 때이다. "나이 들어감에 따라 구속이 늘어난다"고 마스크는 말한다. "그래서 위험을 무릅쓰고 대담한 일을 하려고 한다면 지금 하라고 말하고 싶다. 분명 후회하지 않을 것" 라고.

나이가 들어감에 따라 위험을 감수해야 할 자신의 가족과 자녀에게 미치는 영향도 커진다. 그리고 아시다시피, 자유 시간도 줄어든다. 그러나 의무나 시간적인 제약이 없는 지금은 위험을 감수할 수 있을 때다.

4. 열심히 일하라

일론 머스크는 엄격한 직업관을 가진 것으로 악명 높다. 여러 기업을 갖고 있는 그는, 일주일에 100시간 일하는 경우도 자주 있다. 같은 노력이 필요하다고는 말할 수는 없지만, 피로를 느끼거나 의욕이 떨어졌다고 느끼거나 했을 때 그의 말을 상기하자.

5. 불평 대신 창조를 하라

대부분의 사람들은 교통 체증에 대해 불평하지만, 일론 머스크는 다르다. 불평 대신 그는 해법을 모색했다. 그 결과가 터널 시스템을 통해 교통 체증 완화를 목표로 설립한 보링 컴퍼니가 좋은 예이다. 혼자 힘으로 자신의 미래를 개척하는 것은 자신이 진정으로 요구하는 성과를 얻기 위한 가장 좋은 방법이다.

6. 동료나 고객을 가족처럼 사랑하라

최고의 리더는 고객과 동료를 가족처럼 취급한다. 머스크의 경우 트위터를 통해 고객에 대한 감사의 말을 자주 언급하고 있다. 사소한 일 같지만, 사람들에게 주목받는다. 많은 경영자가 머스크를 본받아 왔다. 그

한 사람인 SPi CRM[95]의 마우릭 · 파렉 사장 겸 최고 경영자 (CEO)는 "가장 소중한 자산은 직원이다"고 설명한다. "직원을 소중히 하면 향후에도 사업을 소중히 해 준다. 직원에게 하는 것은 고객을 위한 것이기도 하다. 직원의 승리가 고객의 승리를 낳는다" 고.

머스크는 임원실에서 나와 직원과 고객과의 관계를 돈독히 하여 사업 기반을 구축하는 데에 시간을 들인다.

7. 성공을 계획하면서도 실패에 대비하라

성공을 예견하는 비결은 존재하지 않는다. 머스크조차 테슬라 모터스가 어떻게 될지 예측할 수 없었다. 하지만 "정말 중요한 일이라면 실패할 가능성이 높다 해도 시도해야 한다" 고 그가 설명했듯이 자신이 아끼는 것이 있다면, 꿈을 추구하는 것처럼 최선을 다한다.

그리고 동시에 부드럽게 넘어가지 않는 경우도 준비해둘 필요가 있다. 실패했을 때의 계획을 미리 세워두면 회복은 더 편해진다.

8. 트렌드를 쫓지 말고 만들어라

"단지 트렌드를 따라하지 말라"고 머스크는 말한다. 대성공하는 기업은 새로운 혁신을 만들어 내는 것에 주력하고 경쟁자를 쫓는 것은 하지 않는다. 바이러스성 콘테스트 마케팅[96]을 창업한 조니 비델 CEO는 이 점에 대해 머스크에게서 많은 것을 배웠다. "바이럴화는 우연히 일어나는 것은 아니다"라고 말합니다. "타인을 쫓는 것이 아니라 독자성을 내는

---

95) 필리핀 마카티의 경영컨설턴트
96) p246 각주 63 참조

데 집중하고 돋보이는 존재가 되어야 한다"

9. 피드백 루프[97]를 구축하라

개선의 여지는 항상 존재한다. "항상 자신의 성과를 되돌아보고, 개선 방법을 생각하는 피드백 루프는 매우 중요하다. 이것은 최고의 조언이라고 생각한다. 어떻게 하면 개선할 수 있는지를 항상 생각하고 자신에게 물음을 계속하라" 고 머스크는 해설한다. 헬시 리빙 네트워크[98]의 설립자 제이슨 블리스 박사는 머스크의 조언을 따르고 있다. "부정적인 비판을 두려워 말라. 스스로는 눈치채지 못했던 중요한 견해를 얻는 수가 종종 있다"

10. 자신의 일에서 의미를 찾자

세계를 완전히 바꾸지 않아도 '선행'은 할 수 있다. 그러나 진정한 가치를 제공하기 위한 노력은 항상 계속한다. 머스크는 일찍이 이렇게 말했다. "사람들에게 높은 가치 있는 무언가를 만들어 냈을 때 ... 비록 그것이 작은 게임이거나 사진 공유 방법의 약간 개량이었다고 해도 많은 사람들에게 조금이라도 도움이 되는 것이라면, 그것으로 좋다고 생각합니다. 세상을 바꿀 수는 없어도 의미 있는 일은 될 수 있습니다."
자신의 일에 긍정적인 의미를 찾아라. 그것이 아무리 작아도 자신의 동기를 올리는 데 도움이 될 것이다.

---

97) 개체의 행위가 인과관계를 거쳐 자신에게 돌아오는 현상
98) 노인건강전문채널